TOMOS

Tomos, Neli Ann a Marged

Llyfr 7 o helyntion Tomos a Marged

W. J. Gruffydd

Cartwnau gan Tegwyn Jones

Argraffiad cyntaf—2002

ISBN 1 84323 144 1

Dymuna'r cyhoeddwyr gydnabod cymorth
Adrannau Cyngor Llyfrau Cymru.

Argraffwyd gan
Wasg Gomer, Llandysul, Ceredigion

Cynnwys

Widw Benja	7
Sgandal	20
Ar y Prom	34
Ar y Prom Eto	45
Ffarwél Awelfor	60
Neli Ann mewn Carafán	73
Trefnu Trip	85
Ar Draeth y Borth	96

Cyfres Tomos a Marged

Tomos a Marged (1965) Gomer
Medi'r Gors (1966) Gomer
Tomos a Marged Eto (1973) Gomer
Ffagots i Swper (1992) Cambria
Newid Aelwyd (2000) Gomer
Chwedlau Nant Gors Ddu (2001) Gomer
Tomos, Neli Ann a Marged (2002) Gomer

Widw Benja

Trafaeliai Hanna Jên, sy'n byw yn ymyl y ciosg teliffôn, yn wyllt ar gefn ei beic i lawr i'r pentre i ddweud wrth bawb fod Tomos Williams, Nant Gors Ddu, yn y 'Confa Lescent' am fod angen gofal arbennig arno. Cyn iddi gyrraedd y sgwâr daeth Hanna Marina, hithau ar gefn ei beic, allan o'r heol gefn a bu gwrthdaro ffyrnig rhwng y ddau feisigl nes hyrddio'r ddwy farchoges yn bâr tinben – er mawr ddiddanwch i gwsmeriaid ffraeth Siop Ucha oedd yn lladd amser â'u sodlau segur wrth y cownter.

Ysgrifennodd Corsfab yn ei golofn wythnosol i'r papur lleol fod Tomos 'in residence at Awelfor Convalescent Home', a bod ei gyfeillion, oedd yn rhy niferus i'w henwi, yn dymuno adferiad llwyr a buan gan ychwanegu: 'Mr Williams is an ex-member of the local Parish Council, and a notable plebeian in the community'. Ond dim ond Mary Virginia Jones, B.Sc. (Hons), Tŷ'r Ysgol, oedd yn ddigon hyddysg i wybod ystyr y gair 'plebeian'.

Gan ei bod yn wythnos wael am hanesion pwysig, penderfynodd Corsfab gyfeirio hefyd at y ddamwain anffodus yn ymyl sgwâr y pentre:

CRAVEN
A
Colman's
Mustard
SIOP UCHA
LICENSED TO SELL TOBACCO

'Local Misfortune – Two lady cyclists were involved in what could have been a serious accident, near the village square at 3.15 p.m. on Tuesday. Both riders were thrown over the handlebars, but escaped major injuries apart from a few bruises on their buttocks, and a slight damage to their self-respects.'

Pan welodd Marged yr adroddiad am Tomos, fe'i darllenodd drachefn a thrachefn, cyn ei dorri allan â'r siswrn, i'w osod yn ei 'hambag', er mwyn ei ddangos i Tomos yn ystod ei hymweliad wythnosol ag Awelfor. Chware teg i Corsfab am gofnodi cyflwr Tomos. Yr oedd mwy o sôn amdano yn ei salwch na phan oedd yn mwynhau iechyd. Eto, yr oedd rhywrai'n beio'r gohebydd lleol am anwybyddu'r cleifion y dylid cyfeirio atynt.

'Fe fuodd Ianto Ni yn y ffliw fowr, a bu bron iddo fe fynd rhwng 'n dwylo ni. A dim gair yn y papur,' meddai Martha Fach, merch Martha Fowr, wrth y fenyw drws nesa, ugain llath i ffwrdd.

Nodiodd y gymdoges gan ddal ei thafod. 'Taw piau hi,' meddai honno wrth y gath ar ôl iddi ddianc i'r tŷ.

Yr oedd Tomos wrth ei fodd yn Awelfor. Hen blas a gawsai ei droi'n gartref ymadfer gan y Cyngor Sir ydoedd, a theimlai Tomos fel lord wrth gerdded o gwmpas yn ei slipyrs, a'i bibell 'rêl brêr', chwedl yntau, yn dragwyddol yn ei geg.

Dau werinwr fel yntau a rannai'r ystafell ag ef. Llysenwid un ohonynt yn Stalin oherwydd ei debygrwydd i arweinydd Rwsia gynt, a bedyddiwyd y llall yn Loffti am ei fod yn fychan o gorffolaeth. Ac nid oedd Tomos wedi cysgu dwy noson yn Awelfor cyn iddo yntau gael ei gyfarch fel yr 'Anghredadun', ond ni hidiai am hynny am y gallai ymffrostio ei fod ef wedi cael llysenw Beiblaidd, a rhyfeddai am na fuasai Loffti wedi cael ei gyfenwi'n Saceus – o gofio am ei fychandra. Yr oedd dyddiau pennod ac adnod ar drai.

Prynhawn dydd Mercher oedd hi. Eisteddai Stalin a Loffti a Tomos fel tri lordyn yn y lolfa yn mwynhau mygyn ar ôl cinio. Nid oedd yr 'Anghredadun' wedi llwyddo'n dda iawn i gymryd Tomos drosodd am nad oedd bri bellach ar y Gymanfa Bwnc.

Syllai Tomos yn synfyfyriol a meddylgar ar y darlun olew enfawr uwchben y tân. Darlun o swyddog militaraidd a mwstashog ydoedd, yn ei lifrau a'i fedalau, a'i gleddyf hir yn hongian wrth ei wregys. Mae'n rhaid ei fod yntau yn y blynyddoedd a fu wedi eistedd lle'r eisteddent hwy nawr. Bellach yr oedd y rhod wedi troi, a'r werin megis arglwyddi yn ddeiliaid y plas. Daliai Tomos i lygadrythu ar y llun:

'Pwy o'dd e?' gofynnodd, a phwyslais ar yr 'e'.

'Dyna'r Hen Gyrnal ar ôl Batl Traffalgar,' atebodd Stalin yn wybodus, fel pe bai'n gyfarwydd ag ef.

'Dyw e ddim yn edrych yn hen i fi,' taerodd Tomos

'Fe a'th e i'r armi yn ifanc iawn,' eglurodd Stalin. 'Ro'dd yr hen foi nhad yn cofio amdano fe'n dod adre mewn helicopter o'r Batl o Traffalgar, wedi colli pishyn o'i glust.'

Syllodd Tomos yn fanwl ar y llun.

'Ma'i glust e'n edrych yn iawn i fi. Wela i ddim byd o'i le arni hi.'

'Fedri di ddim gweld 'i glust dde fe. Dyna pam ma' fe wedi troi'i ben, er mwyn cwato'i glust,' esboniodd Loffti gan godi'n foneddigaidd o'i gadair esmwyth i daflu stwmpyn ei sigarét Wdbein i'r grât.

Gwingodd Tomos wrth iddo glywed am yr Hen Gyrnal yn colli darn o'i glust mewn rhyfel. Bu bron iddo yntau gael yr un profiad unwaith pan lithrodd y bladur wrth iddo osod ei llafn ar ei ysgwydd i'w hogi. Tynnodd yn hir ac yn ddwys ar ei bibell, ac wrth iddo anadlu allan esgynnodd colofn enfawr o fwg i fyny i'r gwagle.

'Yn erbyn pwy o'dd yr Hen Gyrnal yn ymladd yn y Batl Fowr yn Traffalgar?'

'Yn erbyn Boni Napoleon, rwy'n meddwl,' meddai Stalin.

Myfyriodd Tomos uwchben yr ateb. Nid oedd yn hollol dwp.

'Ro'wn i'n meddwl mai yn y Batl o Waterlŵ yn y Boer Wâr o'dd Napoleon yn ymladd, a'i fod e wedi ca'l 'i dransporto i'r Eil o' Man.'

Crafodd Stalin ei ben. Nid oedd Hanes yn un o'i bynciau gorau yn yr ysgol.

'Nage. Yn Llunden o'dd Batl Waterlŵ. Ro'dd rownd la'th gyda brawd mam ar bwys Steshon Waterlŵ, a fe fuodd e'n gwerthu lla'th sgim i'r sowldiwrs o'dd yn ymladd yn y Batl. A chredwch chi fi, ro'dd e'n rhoi digon o ddŵr ar ben y sgim, ac yn ca'l ceinog a dime'r peint, arian mowr amser 'ny, amdano fe. Ond fe fuodd Wncwl Dan farw yn filionêr.'

Yr oedd hyn yn ormod i Loffti. Aeth ar ei liniau i grafangu'r stwmpyn myglyd o'r grât, cyn cropian yn ei ôl i'r gadair. 'Rwyt ti Stalin yn tynnu ar dy ddychymyg. Ma'n well gen i gredu ma' lawr tua Trelech o'dd y Batl, wa'th ma' shop o'r enw Waterlŵ Shop yn Trelech, a ma' nhw'n gweud mai fan'no o'dd Batl Waterlŵ yn ca'l 'i chynnal, ryw ugen mlynedd cyn i dy Wncwl Dan ga'l 'i eni.'

Aeth Stalin i gysgu. Yr oedd wedi bwyta gormod o bwdin reis i ginio. Gwrandawsai Tomos yn astud ar y ddau yn dadlau â'i gilydd, a theimlai ei fod allan yn llwyr o'i fyd yn Waterlŵ a Thraffalgar. Gallai ef ddadlau am ragoriaethau a gwendidau pregethwyr a gweinidogion pe deuai'r cyfle, ond ni wyddai Stalin a Loffti ond y nesaf peth i ddim am y rheiny. Gwisgodd ei esgidiau i fynd am dro er mwyn ystwytho'i gymalau. Yr oedd y nyrs wrth y ddesg yn ymyl y drws.

'Mynd am dro bach, Mr Williams?'

'Ie, er mwyn ca'l awyr iach.'

'Ry'ch chi'n gall iawn. Ry'ch chi'n setlo lawr yn dda iawn yn Awelfor?'

'Odw, diolch. Ma' Stalin a Loffti yn ddoniol iawn. Ma'r amser yn hedfan yn 'u cwmni.'

'Odi. Yn help i fyrhau'r gaea.'

'Be chi'n feddwl, nyrs fach? Ych chi'n gweud fod y gaea wedi dod?'

'Na, na. Dim ond ffordd o sharad. Yr haf yw hi nawr.'

'Ro'wn inne'n meddwl. Fe wedwn i fod Stalin a Loffti yn help i fyrhau'r haf hefyd, gwaetha'r modd. Ma'r amser yn hir i edrych ar yr Hen Gyrnal a phobol fowr, sy wedi marw ers blynydde, yn hongian ar y wal.'

'Codwch ych calon, fe wnawn ni bopeth i'ch gneud chi'n hapus yn Awelfor.'

'Diolch yn fowr i chi.'

'Be ddeudoch chi yw enwe'r ddou sy'n gwmni i chi?'

'Stalin a Loffti.'

'Doniol iawn. Gymrwch chi gyngor gen i?'

'Ie, nyrs?'

'Peidiwch chi credu popeth ma' nhw'n ddeud. Dau dynnwr coes ydyn nhw.'

'Ro'wn inne'n dyfalu, hefyd.'

'Fe ddowch chi i nabod pawb. Y'ch chi'n cysgu'r nos?'

'Ar ddihun am orie, nyrs fach. Meddwl am Marged adre, a finne fan'ma yn whalu meddylie.'

'Pan fyddwch chi'n mynd i'r gwely heno gofynnwch i'r nyrs am dabled fach fydd yn help i chi gysgu.'

'Diolch yn fowr. Ry'ch chi'n garedig. Rial nyrs!'

'Diolch, Mr Williams. Synnwn i fawr na chysgwch chi'n well heno ar ôl tipyn o awel y môr. Falle cysgwch chi heb dabled.'

Cerddodd Tomos i lawr y llwybyr rhwng y llwyni rhododendrons. Yr oedd yr haul wedi dod allan ar ôl dyddiau diflas o gymylau a glaw cyson. Safodd yn sydyn i wrando ar y gwcw – y tro cyntaf iddo ei chlywed y flwyddyn honno, er ei bod yn ddechrau Mehefin.

'Cana di'r hen dderyn. Digon hawdd i ti broffwydo mai yn Awelfor y bydda i am flwyddyn. Ond "twt-twt" i'r shwd ofergoeleth didoreth.'

Ond daliodd y gwcw i ganu er y crygni yn ei llais.

Ymlwybrodd Tomos yn ei flaen yn hamddenol gan ddilyn ei drwyn. Er syndod iddo gwelodd fod y llwybyr yn arwain i lan y môr. Dyna drueni na fuasai Marged gydag ef. Ble roedd hi ar yr union funud honno, tybed? Yn ei ddychymyg gallai ei gweld o gwmpas y tŷ ar hanner trot yn ei ffedog fras. Yn carthu twlc y mochyn, efallai, ac yntau rhwng y coed a'r blodau o gwmpas y plas yn gwario'i oriau ar segurdod. Meddyliodd am y camgymeriad mawr a wnaeth ef a Marged wrth aros yn rhy hir yn Nant Gors Ddu, ac er achwyn byth a hefyd am fod y tyddyn a'r hen dŷ wedi mynd yn rhy fawr iddynt eu trafod, hongian ymlaen a fu eu hanes, ac ni fuasai hynny wedi bod yn bosibl oni bai am gymdogion cymwynasgar Gors Fawr, Gors Ganol, Gors Isa a Gors Fach.

Eisteddodd ar y sedd i fwynhau'r olygfa fendigedig, ond buan y darfu'r mwynhad pan bwysai ei bryder am Marged yn drwm ar ei enaid. A phenderfynodd fynd adref at Marged pan ddeuai'r cyfle cyntaf. Ni fedrai na meddyg, na metron, na nyrs, ei atal rhag dychwelyd ati hi.

I lawr, hefyd, dros y llwybyr daeth Mrs Benja. Fel Mrs Ifans y cyferchid hi gan y meddygon, y metron, y nyrsys, a'r gweinidog. Ond 'Neli Ann' oedd hi i'w chymdogion a'i chydnabod.

Teimlai Neli Ann yn unig ac yn hiraethus iawn ar ôl colli Benja ei gŵr rai wythnosau ynghynt. Mae'n wir nad oedd Benja y callaf o blant dynion pan fyddai'n colli ei dymer, ond pur anaml y digwyddai hynny, a bu'n gydymaith ac yn gefn iddi yn ystod y deugain mlynedd o fywyd priodasol digon hapus ar y cyfan. Eisteddodd hithau ar y sedd oedd yn ddigon cyfleus i lygaid chwilgar yn ffenestri ffrynt Awelfor.

'Prynhawn da,' meddai Tomos yn serchog.

Toddodd calon Neli Ann.

'Prynhawn da,' atebodd hithau yr un mor serchog, nes cyffwrdd â man gwan Tomos.

‘Pwy ga i ’weud y’ch chi?’ gofynnodd Tomos.

‘Neli Ann. Ellen Anne Evans yw’r enw llawn. Fe golles i Benja’r gŵr, druan bach, fis yn ôl.’

‘Ma’n ddrwg iawn gen i glywed, Mrs Ifans.’

Aeth Tomos yn ei flaen i egluro pwy oedd yntau, a chlustfeiniai yn astud ar Neli Ann yn adrodd hanes Benja mewn iechyd ac afiechyd. Yr oedd amser yn hedfan yn gyflym iawn pan eisteddai’r ddau yn gyfforddus ar y sedd yn sŵn y môr a’i donnau. Teimlent yn gyfeillgar am eu bod yn byw o dan yr un to.

Ar ganol y gleber gofynnodd Tomos, ‘Fyddech chi’n fodlon i fi alw “Neli Ann” arnoch chi?’

A gwenodd y weddw am y tro cyntaf ers mis.

Yr oedd Stalin a Loffti wrth eu bodd yn edrych drwy’r ffenestr.

‘Ma’ hi, Neli Ann, wedi ca’l gafel yn yr Anghredadun,’ meddai Stalin gan rwbio’i ddwylo yn ei gilydd.

‘A ma’ fe yn ca’l histori Benja o’r dechre i’r diwedd,’ chwarddodd Loffti.

Clywsant lais y tu ôl iddynt.

‘Ble ma’ Tomos Williams, os gwelwch chi fod yn dda, plîs?’

Edrychodd y ddau ar ei gilydd, ac ar y fenyw a’u cyfarchodd. Yna, pwyntiodd Loffti i gyfeiriad y sedd rhwng y llwyni rhododendrons.

‘Dyco fe fan’co ar ’i second hynimŵn.’

Stampiodd Marged ei throed fechan yn benderfynol. Cododd y gwrid i’w gruddiau. I ffwrdd â hi i lawr dros y grisiau a’r llwybyr. Cenfigennus yw Cariad. Yr oedd Stalin a Loffti wrth eu bodd pan welsant Neli Ann yn closio’n nes at Tomos.

Cyrhaeddodd Marged at gornel y sedd. Adnabu Tomos ei llais ceryddol.

‘Pwy yw’r fenyw ’ma, Tomos? Rhag dy g’wilydd di.’

Edrychodd Tomos i gyfeiriad ei fenyw gyfeillgar, ond yr oedd Neli Ann wedi diflannu fel pe bai’r ddaear wedi ei llyncu. Ond yr oedd Marged yn disgwyl am ateb.

‘Neli Ann yw ’i henw hi. Ellen Anne, medde hi cyn i ti ddod, a ma’ hi wedi claddu Benja ’i gŵr.’

‘Shwd wyt ti yn gw’bod cymint o’i hanes hi mewn amser mor fyr? Gwed yn onest Tomos, pam o’dd y criadur byr ’na yn gweud dy fod ti ar dy “second hynimŵn”?’

‘Rwy’n gweld nawr. Dyna ’wedodd Loffti, ie fe?’

‘Fydde’r dyn bach ddim yn gweud celwydd.’

‘Marged fach, fe alle hwnna dynnu co’s neidir.’

‘Do’s dim co’s gan neidir,’ meddai Marged.

‘A do’s dim gwirionedd gan Loffti.’

Taflodd Marged bob amheuaeth ymaith. Na, ni fuasai Tomos yn ddigon ffôl i gael ei hudo gan gyfaredd menyw ddieithr ar ôl yr holl flynyddoedd o fywyd priodasol mor heddychol. Ond eto, ni fedrai ddeall pam y cododd surni ansicrwydd yn ei mynwes wrth ganfod gwaelod ffrog, a choesau meinion, yn diflannu i’r prysgwydd!

Sgandal

Penderfynodd Leisa Gors Fawr redeg ras â'r gawod fygythiol oedd yn cael ei chwythu i'w chyfeiriad gan wynt Abertawe. Taflodd ei siôl dros ei gwar, yn benderfynol o gyrraedd Nant Gors Ddu o'i blaen. Gallai dystio iddi ennill degau o rasus cyffelyb yn y gorffennol.

'Os gwlycha i, fe wlycha,' meddai hi wrth yr ast ddioglyd oedd erbyn hyn yn rhy hen a musgrell i hela tai yng nghwmni ei meistres. Llusgodd Scot i'r sièd wair i orwedd hyd nes y dychwelai Leisa, ac ni fyddai neb i'w hysio i erlid y defaid sgwlclyd yn ôl i'r Banc o'r weirglodd. Ni wyddai hi mai dengmlwydd yw canmlwydd ci.

Pan oedd Leisa ar ganol y gors, agorodd holl ffenestri'r nefoedd gan arllwys cawod oedd yn fam holl gawodydd y ddaear y tu yma i'r Dilyw. Cododd Leisa ei siôl dros ei phen a brasgamodd rhwng y brwyn yn yr olchfa fawr. Glaniodd fel pysgodyn o'r afon wrth ddrws Nant Gors Ddu.

'Y mowredd annwl, o'dd raid i ti fentro ma's ar shwd dywydd?' gofynnodd Marged, wrth godi coes mochyn o'r sosban ferwedig i'r plât.

Ymddihatrodd Leisa o'i siôl a'i ffedog, tynnodd ei hesgidiau, a cherddodd ar ei sodlau yn nhraed ei sanau ymlaen at y tân. Clandrodd Marged ym mocs y sgiw i chwilio am sgert iddi, a daeth o hyd i bilyn nad oedd wedi gweld golau dydd ers llawer blwyddyn.

'Hwde. Gwisga hon am dy gorpws. Ma' hi'n sych beth bynnag.'

Nid oedd y sgert a wisgid gynt gan Marged yn gweddu, nac yn weddus chwaith, i gorff hir Leisa.

'Dillad llygod – gobeitho na ddaw neb i'r tŷ a ngweld i fel hyn fel rhyw groten ysgol yn goese ac yn ben-ôl i gyd. A ma' drafft ofnadw yn dod o rwle.'

'Mae'n well i ti wisgo honna, rhag iste yn dy ddillad glybion yn magu niwmonia.'

Eisteddodd Leisa yn drafferthus a ffwdanus wrth ymdrechu'n ofer i guddio'i phengliniau. Yr oedd bron bwrw'i lasog am gael rhyw wybodaeth am Tomos. Treuni mawr fod Marged yn mynd o gwmpas heb wybod am y sgandal o gyfeiriad Awelfor.

'Beth yw'r hanes diweddara am Tomos?' holodd o flaen pesychiad annaturiol o sych.

'Fel rwyt ti'n gwbod, fe fues i lawr prynhawn ddo'. Ma' fe'n dod mla'n yn go lew, ac yn enjoio'n grand yn y Confalescent. Ise dod adre ma' fe, ond ma'n well iddo fe aros nes gwella'n iawn.'

Cnodd Leisa ei gwefus mewn cyfyng-gyngor â hi ei hun. Nid oedd yn sicr iawn ei meddwl a ddylai hi ddweud wrth Marged am y stori garlamus oedd o gwmpas yr ardal. Yr oedd hi a Tomos wedi byw yn y gymuned glòs ar hyd eu hoes, ac nid oedd wedi cael achos i feddwl fod Tomos o bawb yn ymddiddori mewn menywod. Penderfynodd holi Marged yn fanylach.

'Odi fe'n mynd ma's?' gofynnodd yn ddigon diniwed.

'Dyna beth od i ti ofyn. Pan es i lawr i weld e, do'dd e ddim yn y Confalescent. A dyna lle ro'dd Tomos Ni yn clebran â menyw fach neis o'dd newydd golli'i gŵr.' (Pliciodd Leisa ei chlustiau fel cath wedi clywed sŵn llygoden). 'Ro'dd yn dda iddo fe ga'l cwmni bach mor neis i iste ar y fainc rhwng y blode.'

'Pwy o'dd y fenyw?'

'Dwy' i ddim yn gw'bod 'i steil hi. Ond ro'dd Tomos Ni yn 'i galw hi yn Neli Ann. Hen dro diflas o'dd iddi golli'i gŵr.'

Poerodd Leisa i'r tân. Sylweddolodd mai ei chyfrifoldeb hi, fel cymdoges a chyfeilles, oedd dweud wrth Marged. Byddai'n well iddi hi ddweud y gwir plaen wrthi, na bod rhywun arall yn gwneud hynny. A dyna fyddai'n digwydd cyn i'r lleuad newid.

'Shwd fenyw yw'r Neli Ann 'ma?' holodd Leisa.

'Menyw bert iawn. Ma' hi'n ddigon unig arni hi, druan fach.'

Tosturiodd Leisa wrth ystyried mor ddiniwed a gonest oedd Marged. Yr oedd yn ddyletswydd arni i dorri'r garw, ac egluro'r sefyllfa fel yr oedd hi, fenyw gall, yn ei gweld.

'Gwranda, Marged. Rwy'n gweud er mwyn dy les di a Tomos. Fydd hi ddim yn unig tra bydd Tomos Chi yn y Confalescent. Fe 'wedwn i 'i fod e'n enjoio'i hunan.'

'Be wyt ti'n feddwl?' gofynnodd Marged yn bryderus.

Tynnodd Leisa ei llawes yn groes i'w thrwyn yn absenoldeb cadach poced, a gwnaeth ymdrech aflwyddiannus arall i wthio'r sgert i lawr dros ei phengliniau esgyrniog. Ac meddai, 'Ma'r stori'n dew ar hyd y lle 'ma fod Tomos a'r Neli Ann 'na yn fwy na ffrindie, a ma' hynny'n 'weud mowr.'

'Pwy sy'n gweud 'ny, Leisa?' holodd Marged a'i gruddiau'n gwrido gan dymer annisgwyl. Byddai hi'n ymladd hyd farw dros enw da Tomos.

Nid oedd Leisa yn mynd i ddweud mai gan Hanna Jên y cafodd hi'r sgandal, os sgandal hefyd, yn hollol gyfrinachol, a chyfrinach yw cyfrinach. Taflodd Marged ei sgert yn ôl ati, a dweud wrthi am fynd i'r diawl.

Cafodd Leisa sioc ei bywyd wrth gael y fath orchymyn, ac i ffwrdd â hi. Peidiasai'r glaw erbyn hyn, ac yr oedd golwg ddoniol arni yn croesi'r gors wleb tuag adre mewn sgert-fini a'r haul yn disgleirio ar ei choesau a'i phen-ôl.

Yn ei chegin yn Nant Gors Ddu eisteddodd Marged i wylo'n hidl. Yr oedd wedi gyrru Leisa – ei chymdoges agosaf – allan o'r tŷ, a daeth diwedd sydyn ar flynyddoedd hapus o gyfeillgarwch. Oni fu Leisa'n barod ei chymwynasau mewn argyfyngau?

Yr Awelfor yr oedd Stalin a Loffti i fyny i'w triciau arferol. Winciodd un ar y llall a nodio i gyfeiriad Tomos oedd yn edrych am y canfed tro ar lun yr Hen Gyrnal ar y wal.

'Dyna dro am Nathaniel,' meddai Loffti.

'Ie,' meddai Stalin. 'Biti iddo dorri'i go's. Fe fuodd yn anlwcus iawn.'

Roedd Tomos wedi colli pob diddordeb yn yr Hen Gyrnal. Yr oedd yn rhaid iddo wthio'i hunan i'r sgwrs.

'Shwd fuodd Nathaniel mor anlwcus?' gofynnodd Tomos.

‘Wrth redeg ar ôl cachgi bwm,’ atebodd Loffti’n ddifrifol.

‘Pam o’dd e’n rhedeg ar ôl cachgi bwm?’

‘Er mwyn ’i roi fe yn y glassows.’

‘Pam o’dd am ’i roi fe yn y glassows?’

‘Er mwyn iddo fe ffrwythloni’r blode tomatos.’

Erbyn hyn yr oedd Tomos yn teimlo dros Nathaniel, druan, oedd wedi syrthio a thorri’i goes wrth geisio dal y cachgi bwm er mwyn ei roi yn y tŷ gwydr i ffrwythloni’r tomatos. A gwenodd Stalin a Loffti yn ddrygionus ar ei gilydd wrth iddynt ganfod, trwy giliau eu llygaid, y Nathaniel a dorrodd ei goes yn y tŷ gwydr.

Ond yr oedd rhagor o dynnu coes yn yr arfaeth.

Llygadodd y ddau drwy’r ffenestr a gwelsant Neli Ann yn eistedd ar y sedd rhwng y llwyni rhododendrons. Gafaelodd y ddau bryfocyn yn eu cyfle. Llefarasant yn uchel:

‘Ma’ hi’n ddigon diflas ar Widw Benja, druan fach.’

‘Diflas iawn. Ma’ golwg hireth arni hi.’

‘Ro’dd hi’n bert pan o’dd hi’n ifanc.’

‘Ma’ hi’n bert o hyd.’

Tynnodd Tomos ei sliper.

‘Falle daw rhyw widman ar ’i thraws hi.’

‘’Sdim rhaid iddo fe fod yn widman.’

Gwisgodd Tomos ei esgid yn ffwdanus.

'All hi ddim priodi dyn priod.'

'Na, ond fe all hi gwmpo mewn cariad â dyn priod.'

Tynnodd Tomos ei slipyr.

'Wyt ti'n meddwl y galle Neli Ann roi tipyn o sbarc i ŵr priod?'

'Rwyt ti'n iawn. Yn enwedig os yw e wedi bod yn briod am flynydde mowr. Fe fydde newid yn wahanol iddo fe.'

Gwisgodd Tomos ei ail esgid. Yr oedd Stalin yn parablu.

'A gweud y gwir, rwy'n ffansïo Neli Ann.'

'A finne hefyd,' meddai Loffti, gan ychwanegu, 'Ma' hi'n fwy jiwsi na honco-sy-'da-fi.'

Llyncodd Tomos yr abwyd a'r bachyn, er na wyddai beth oedd 'jiwsi'.

'Rwy'n mynd am dro,' meddai.

Yr oedd yr hyn a ddywedodd Leisa wedi ysgwyd Marged i'r eithafion. Beth os oedd gwirionedd yn y stori? Ond ni fedrai gredu y byddai Tomos yn troi ei gefn arni wedi'r holl flynyddoedd i rannu aelwyd â menyw arall. A chaniatáu fod yna garwriaeth rhyngddynt, rhyw garwriaeth unochrog iawn fuasai hynny, am mai carwr anfedrus a lletchwith fu Tomos erioed, ac fe ddylai hi wybod hynny o brofiad.

Edrychodd ar y cloc. Nid oedd ganddi ormod

o amser i baratoi cyn y byddai William Jones yn dod â'i dacsi i gwm yr afon i fynd â hi i Awelfor. Yr oedd Leisa nid yn unig wedi ei chynhyrfu, ond wedi cawldio ei diwrnod yn ogystal. Edrychodd yn y drych gerllaw drws y parlwr a gwelodd hen wraig rychog ei gwedd yn syllu arni. Ni fedrai honno gystadlu â'r Neli Ann oedd mor faldodus o Tomos, cyn i bridd beddrod Benja ei gŵr gael amser i sefydlu yn y fynwent.

Eisteddodd Marged ar y sgiw. Byddai'n dda ganddi gael hanner awr o gwsg. Pellhaodd sŵn y cloc, ymhellach ac ymhellach o hyd, a darfod. Pan ddihunodd, yr oedd William Jones y Tacsi wedi agor y drws, ac yn sefyll yn y pasej.

'Ma'r tacsi'n disgwl amdanoch chi.'

'Sori, William Jones. Fedra i ddim dod i weld Tomos.'

'Pam?'

Aeth Marged i grio cyn gorffen ei stori.

'Ma'n rhaid i chi ddod, Marged Williams.'

'Dyw Tomos ddim am 'y ngweld i.'

Cafodd bwl arall o grio. Ond wedi hir berswâd cafodd Wil ddylanwad arni i fynd i'w hymgeleddu ei hun, a gwisgo.

Gwaeddodd Wil o waelod y grisiau.

'Ie, William Jones?'

'Gwisgwch ddillad mwy hafedd yn lle'r dillad

duon 'na sy fel dillad angladd. Rwy am i chi edrych yn bert.'

Fe gymerodd Marged dros hanner awr cyn disgyn dros y grisiau. A phrin y medrodd Wil ei hadnabod.

'Wel, wel, Marged Williams, ry'ch chi'n fenyw wahanol. Ry'ch chi mor . . . b-b-beth yw'r gair? Ry'ch chi mor ddeniadol. Dowch i ni ga'l mynd i weld Tomos. Ble gweles i'r hat wen 'na o'r bla'n?'

Cerddasant i lawr at y tacsi. Yr oedd Leisa Gors Fawr yn crwydro o gwmpas y tŷ fel buwch gyflo yn chwilio am gilfach i fwrw llo. Ni fedrai faddau iddi hi ei hun am y geiriau plaen a lefarodd hi wrth Marged yn gynharach yn y dydd. Nid oedd ganddi archwaeth at fwyd, ac nid oedd wedi cyflawni honglyn o waith yn ei hedifeirwch. Plygodd i glymu carrai ei hesgid, ac wrth iddi ymunioni o'r ddaear a chodi ar ei thraed gwelodd y fenyw a'r dyn yn ymadael â Nant Gors Ddu.

'Dillad llygod, pwy yw'r bobol ddierth 'co?' gofynnodd i'r ast oedd erbyn hyn yn rhy ddiog i gyfarth.

Y fenyw a dynnodd sylw Leisa, ac mor bell ag y gallai hi ddyfalu yr oedd ffrog fflowrog amdani; yn sicr yr oedd yn gwisgo het wen.

Pam na fuasai Marged wedi ei hysbysu ei bod yn disgwyl fisitors? Na, roedd Marged yn dechrau ymddwyn yn od, a rhaid bod misdimanyrs Tom yn cael effaith arni. Erbyn meddwl, edrychai'r dyn yn debyg i Wil Soffi – ac yn wir, efallai mai ei dacsi ef oedd ar ben yr hewl – ond ni fedrai hi wahaniaethu rhwng cerbyd a cherbyd o'r un lliw a maintioli.

Ond pwy oedd y fenyw mewn dillad crand? Ni fedrai fynd draw at Marged ar ôl y ffrae yn gynharach yn y dydd. Doedd dim rhaid iddi fynd yn gas a dangos y drws iddi, a dryllio'r hen gyfeillgarwch. Tybiodd iddi weld Marged yn mynd o'r sièd i'r tŷ, ond daeth cymylau dros yr haul, ac anodd wedyn oedd gweld yn glir.

Yr oedd Tomos a Neli Ann yn mwynhau sgwrs ddiddorol ar y sedd uwchben y môr. Yn wahanol i Benja, yr oedd Tomos yn gwrando'n astud ar bob gair a ddeuai allan rhwng ei gwefusau pinc. Yn sydyn daeth y fenyw mewn het wen yn slei rownd y tro.

'Ble rwyt ti, Tomos?'

Adnabod y llais a wnaeth Tomos, ac yr oedd y llais hwnnw'n ddigon o rybudd i wneud i Neli Ann ddiflannu unwaith eto i blith y llwyni rhododendrons.

'Shwd wyt ti heno, Tomos bach?'

'Go lew, thenciw. Be o'wn i'n meddwl gweud – go lew, Marged.'

'Wyt ti'n gweud dim byd arall?'

'Rwyt ti'n edrych yn bert iawn.'

'Diolch, Tomos bach. Wyt ti'n cofio'r ffrog 'ma – a'r hat?'

'Priodas Wil Soffi?'

'Ie, priodas William Jones. Ma'r ffrog yn ffito erbyn hyn, ar ôl i fi golli pwyse.'

'Pam o'et ti'n colli pwyse?'

'Gofidie, Tomos Bach. Gofidio amdanat ti.'

'Rwy' am ddod adre, Marged.'

'Na, ma'n well i ti aros nes bydd y doctor yn rhoi caniatâd i ti.'

'Ble ma' William Jones?'

'Ma fe'n ca'l gair â'r Metron.'

'Pam? I beth?'

'Ma' William Jones am w'bod o's 'ma fynwod gwyllt o gwmpas y lle 'ma. Rhag ofan y bydda' i'n dy golli di.'

Treuliodd Tomos a Marged orig hapus ar y sedd y cefnwyd arni mor ddiseremoni gan Neli Ann. A chafodd Wil Soffi sgwrs adeiladol ag un o'r nyrsys. Yr oedd hi yn bendant mai direidi Stalin a Loffti oedd wedi hysio Tomos i fod yn wahanol iddo ef ei hun ar adegau. Ar ei ffordd yn ôl stopiodd Wil ei dacsi yn ymyl Gors Fawr, ac yno bu cadoediad rhwng dwy gymdoges. Ond fel y dywedodd Wil:

'Do'dd fowr o waith cymodi. Ambell waith ma' cynnen yn help i glirio'r awyr.'

Ar y Prom

Teimlai'r Metron nad oedd digon o ddefnydd yn cael ei wneud o'r minibŷs a gawsant yn rhodd gan y Clwb Rotari, a phenderfynodd drefnu gwibdaith i Aberystwyth i'r ablaf o ddeiliaid Awelfor. Dewisodd ddeg yn ofalus a theg, yn ogystal â dwy nyrs i fod yn gyfrifol amdanynt. Ymhlith y deg yr oedd Tomos, Loffti, Stalin a Neli Ann, a llawenychodd Tomos am yr anrhydedd a ddaeth i'w ran, gan fawr hyderu y medrai Corsfab wthio'i enw i ryw gornel o'i golofn wythnosol i gofnodi: 'that Mr Thomas Williams, Nant Gors Ddu, at present residing at Awelfor Convalescent Home, has been selected to represent the residents of A.C.H. at Aberystwyth in the near future. We send Mr Williams our cordial wishes for an enjoyable tour.' Wrth gwrs, ni fedrai Tomos ddychmygu beth fyddai cofnod y papur lleol, ond gallai ddibynnu ar athrylith Corsfab i 'wneud jobyn iawn' ohoni. A'r noson cyn y trip bu ar bigau drain wrth geisio dyfalu beth oedd gan y dydd canlynol ar ei gyfer, a gwell iddo holi gan obeithio y deuai ateb rhesymol oddi wrth ei gyd-ddeiliaid afresymol.

'Be fydd yn digwydd yn Aberystwyth fory?'

'Fe gei di reid ar gefen donci, a bydd y Llywodraeth yn talu,' atebodd Loffti.

Gwyddai Tomos am y dywediad 'dwywaith yn blentyn', ond ni fedrai ei ystyried ei hun yn ddigon o blentyn i fynd ar gefn donci ar y prom, felly fe anwybyddodd ffolineb Loffti. Pam na allai'r dyn siarad yn gall ambell waith?

'Y'ch chi'ch dou'n fodlon i fi ddod gyda chi fory?' gofynnodd yn ddiniwed. Er ei fod yn gyfarwydd ag Aberystwyth ers blynyddoedd, nid oedd am fod ar ei ben ei hun.

Edrychodd Stalin a Loffti ar ei gilydd, cyn consela drwyn wrth drwyn fel pe baent yn ceisio datrys problem astrus a difrifol. Disgwyliodd Tomos yn amyneddgar ac eiddgar cyn i Stalin gyhoeddi'r ddedfryd.

'Ma' Loffti a fi wedi bod yn trafod y peth yn ddifrifol, ond ma' hen broblem fach anodd wedi codi'i phen.'

'Beth yw hynny?'

'Wel, ro'dd Loffti a fi'n meddwl, yn ddigon rhesymol, y base Neli Ann am ga'l dy gwmni di. A dyna broblem arall wedyn ar gefen y llall. Cymer di nawr fod dy weinidog di, Jones Capel Bach, yn dy weld yn cered y prom, a Neli Ann yn hongian ar dy fraich ac yn sbio i dy lyged fel lifret yn sbio i lyged carlwm.'

Gwylltiodd Tomos, a chiliodd i'w ystafell gan adael y ffŵl i ymdrybaeddu yn ei ffolineb.

Yr oedd Neli Ann wrth ei bodd pan glywodd am y trip, a'i bod hi yn un o'r etholedigion ffodus. Fe wisgai'r ffrog fflowrog a'r het las-tywyll – yn ddigon tywyll i beidio amharchu coffadwriaeth Benja. Siawns na châi olchi ei thraed yn nŵr hallt y môr ar y traeth, ond yn bwysicach fyth byddai cyfle iddi gael cwmni Tomos, sef y Tomos parchus nad oedd iddo ddwylo crwydrol, ac yn ddigon ffodus i gael ei amddifadu o'r wybodaeth ymchwilgar pwy a'i dadogodd gynt.

Aeth Neli Ann ati i roi'r cyrlers yn ei gwallt.

'Be sy'n mynd mla'n 'ma?' gofynnodd Phebi Jones a arferai fyw yn y tŷ â'r ffenestri cam y tu allan i'r pentre.

'Treio gneud tipyn ar y gwallt 'ma. A gweud y gwir, ma' fe fel ffrwcs a drysni!'

Aeth Phebi'n nes ati. Syllodd drwy ei gwydrau trwchus oedd fel gwydrau penolau poteli 'slawer dydd.

'Wela i ddim byd o le ar dy wallt di. Ma' fe'n edrych yn iawn i fi. Pam wyt ti'n jibinco fel hyn cyn troulo dy ddillad mwrning? Fe fuodd Mam yn mwrno am flwyddyn ar ôl Dat.'

'Fedra i ddim mynd ar y trip fel hyn,' eglurodd Neli Ann wrth ymladd i gael cyrler ystyfnig i sefyll yn ufudd yn ei gwallt gwyllt.

'Trip, wedest ti? Be ti'n feddwl?'

'Ie, ma' trip speshal i Aberystwyth fory.'

Cafodd Phebi sioc a siom. Nid oedd hi wedi clywed am y peth.

'Pam na faswn i yn ca'l gw'bod?'

Nid oedd Neli Ann am ddweud wrthi ei bod hi, Phebi, yn rhy hen a musgrell i fynd gyda'r cwmni. Fe wnaeth ei gorau i'w chysuro.

'Peidiwch becso, Miss Jones fach. Fe gewch chi fynd y tro nesa.'

Ond nid oedd Phebi am gael ei chysuro. Onid oedd hi'n ddigon abl i fynd i Aberystwyth gyda'r minibŷs? Onid oedd hi'n prynu tocyn raffl y trip bob blwyddyn? Onid oedd hi mewn dyddiau gwell ar ei haelwyd yn Nyth y Dryw wedi bod yn gwau yn ddiwyd ar gyfer Basâr yr Henoed? Yr oedd gan Phebi un cwestiwn damniol i'w ofyn i Neli Ann.

'A phwy fydd dy gwmni di fory ar y trip?'

Edrychodd Neli Ann yn swil i'r drych. Daeth gwrid i'w gruddiau. Cystal i Phebi Jones gael gwybod y gwirionedd.

'Fe fydd Tomos Williams yn gwmni i fi, Miss Jones. Y'ch chi'n diall nawr? Wel, dyna'r gwir i chi.'

Yr oedd Phebi Jones wedi cynhyrfu. Dechreuodd ei dwylo grynu.

‘Rhag dy gwilydd di, a thithe newydd golli dy ŵr.’

Stampiodd Phebi Jones ei throed fechan, a throdd ei dwylo eiddil yn ddyrnau bygythiol wrth iddi ruthro allan i’r cefn i chwilio am y Metron er mwyn rhoi pregeth iddi am na chafodd wahoddiad i fynd gyda’r trip i Aberystwyth.

Yn brydlon am ddau o’r gloch yr oedd y minibŷs yn disgwyl am y gwibdeithwyr. Edrychodd Phebi yn gas trwy ffenestr ei hystafell, a gwelodd Tomos yn dilyn y lleill i’r cerbyd. Aeth ei thymer yn drech na hi wrth weld y fath haerllugrwydd yn ôl ei damcaniaeth hi.

‘Dyco fe ’rhen griadur eger, a Marged ’i wraig, druan fach, adre wrth ’i hunan yn sbio ar y wal a ’whalu meddylie.’

Cododd Neli Ann ei llaw mewn ffarwél bryfoclyd arni, a dawnsiodd Phebi Jones fel picwnen wallgof wedi ei chaethiwo yng nghwpan blodyn bysedd y cŵn.

Eisteddai Stalin a Loffti fel dau grwt direidus yn y sedd ôl, yn barod i fanteisio ar ddiniweidrwydd Tomos a hyfdra Neli Ann. Curasant eu dwylo’n frwd wrth weld Tomos yn esgyn yn drafferthus dros risiau’r cerbyd a gaed gan y Rotari.

‘Dim ond lle i un,’ gwaeddodd Loffti, gan

guddio'i ben y tu ôl i gefn y sedd oedd o'i flaen, oblegid yr unig le gwag oedd yn ymyl Neli Ann. Gwridodd hithau fel merch ifanc wrth feddwl fod pawb yn deall yr awgrym cynnil, ac eisteddodd Tomos yn ei hymyl am nad oedd ganddo ddewis. Teimlai Neli yn hapus iawn.

'Dowch yn nes,' meddai hi.

'Thenciw,' atebodd yntau, wrth glosio ati.

'Ma' digon o le.'

'Thenciw fowr.'

'Dowch yn nes eto.'

A chlosiodd yntau ddwy fodfedd arall. Nid oedd wedi cael y fath wahoddiad erioed o'r blaen. Ac yr oedd rhyw wefr yn y profiad.

'Cer yn nes,' gwaeddodd Stalin o'r sedd gefn.

Cafodd Loffti bwl o beswch dwl nes bod ei wyneb yn ddu-las. Edrychodd Nyrs Bowen yn geryddgar arnynt, ond ar ei gwefusau yr oedd arlliw o wên ddoniol, yn brawf ei bod hithau'n mwynhau'r sefyllfa.

'Y'ch chi'n enjoio?' gofynnodd Neli Ann wrth Tomos, a synnu am fod y frawddeg wedi llifo allan mor esmwyth a dilyffethair o'i genau. Yr oedd wedi gofyn yr un cwestiwn yn agos i ddeugain mlynedd cyn hynny pan oedd hi a Benja ar eu mis mêl, er mai diwrnod a hanner oedd parhad y melrawd hwnnw. Ond yr oedd ateb Tomos yn fwy synhwyrol.

‘Dwy’ ddim wedi ca’l amser i enjoio eto,’ meddai wrth danio’i bibell yn y cymylau mwg. A rhagdybiodd Loffti ganlyniadau’r arogldarthu.

‘Ble ma’r gasmascs?’ gwaeddodd. Chwarddodd pawb ond Tomos.

‘On’d yw e’n ddyn doniol?’ meddai Neli Ann yng nghlust Tomos. Ni chymerodd ef arno ei fod wedi ei chlywed. A chynyddodd y cymylau mwg nes i Nyrs Bowen ymestyn ymlaen i ddweud yn garedig wrtho nad yw mwg baco mewn lle cyfyng yn gymorth i iechyd y cyhoedd, ac y byddai’n syniad da iddo ymwadu â’r dditibibell nes iddo gael ei draed ar y palmant, ac yna gallai smocio a smocio hyd oni thywyllid y môr gan y mwg shàg. Ufuddhaodd yntau’n ostyngedig a phwdlyd.

‘Hen fenyw gas yw’r nyrs,’ meddai Neli Ann wrtho.

Nodiodd yntau.

‘Pan gawn ni gyfle fe ro’wn ni halen yn ’i chawl hi.’

Gwenodd Tomos.

Yr oedd wyneb Neli Ann fel wyneb angel, a llwyddodd y wên honno i bylu’r dychymyg am Marged yn gwario ei horiau unig yng nghwmni’r cloc ar aelwyd Nant Gors Ddu. Clywodd Tomos lais y Diafol ym môn ei glust.

‘Dyna lwcus wyt ti i ga’l cwmni Neli Ann.’

'Lwcus iawn . . .'
'O'ch chi'n dweud rh'wbeth?'
'Ddwedes i ddim byd, Mrs Ifans.'
'Pam na 'wedwch chi Neli Ann?'
'Dyna ti,' meddai'r Diafol yn bryfoclyd.

Safodd y minibŷs ar y prom. Rhuthrodd Stalin a Loffti i fynd allan. Cododd Nyrs Bowen ei llaw i'w hatal.

'Ble ry'ch chi'n gweud y'ch chi'n mynd? Ble ma'ch manyrs chi, yn rhedeg ma's o fla'n pawb?'

'Sori, nyrs. Ma'n rhaid mynd ar hast mowr. Ma' natur yn galw,' twyllodd Loffti.

Gofalwch fod 'nôl 'ma erbyn pump o'r gloch. A dim munud ar ôl hynny. Y'ch chi'n clywed?'

Oeddent. Yr oedd y ddau yn clywed. Nodiodd Loffti a Stalin i sicrhau Nyrs Bowen eu bod yn deall. Ac i ffwrdd â nhw cyn i Tomos gael cyfle i godi o'i sedd i'w dilyn.

'Fe awn ni'n dou ma's ar ôl y lleill,' meddai Neli Ann, a theimlodd yntau siffrwd gogleisiol iâr fach yr haf yn hedfan o gwmpas ei galon. Felly yr aethant allan i hamddena a dod o hyd i'r sedd wag.

Teimlai Neli Ann yn hapus iawn wrth eistedd yn ymyl Tomos. Daethai rhyw wacter mawr i'w bywyd wedi golli Benja ei gŵr. Nid am ei fod yn greadur y gallech ei alw'n angel, ond am ei bod hi yn cael mwy o hyfrydwch yng nghwmni dyn nag yng nghwmni menyw. Erbyn hyn credai mai Rhagluniaeth a'i harweiniodd i Awelfor er mwyn iddi gyfarfod â Tomos. Efallai y gallai Rhagluniaeth, yr un mor ddoeth, ei chadw ar y ddaear yn hwy na Marged, a byddai Tomos yn ddelfrydol fel ail ŵr iddi. Yn wir, byddai'r siwt newydd nefi-blw a brynodd Benja ar gyfer angladd ei chwaer, flwyddyn yn ôl, yn ffitio Tomos i'r dim. Edrychodd Neli Ann yn freuddwydiol i'r pellteroedd dros y môr.

'Be sy tu draw i'r môr?' gofynnodd yn farddonol.

'Gwlad yr India fowr,' atebodd Tomos.

Yr oedd gan Tomos fwy o amynedd na Benja i ateb ei chwestiynau.

'Beth yw gwaith pobol India?'

'Gneud perle.'

'Pe meddwn aur Penrhiw
A pherle'r India bell.'

Breuddwydiodd Neli Ann am fodrwy ei hail briodas. Closiodd yn nes at Tomos, a gosododd ei phen i bwyso'n ysgafn ar ei ysgwydd gref. Yr oedd yn hoff iawn o Tomos, a bu bron iddi fod yn ddigon rhyfygus i ddweud wrtho ei bod yn ei garu â chariad angerddol.

Y prynhawn hwnnw aeth Hanna Jên i Aberystwyth gyda'r bŷs. Nid yn fynych y byddai'n mynd i'r dref honno, ond yr oedd y cathod yn colli eu blew, ac ni cheid yr un feddyginiaeth iddynt yn siopau'r wlad.

Ar ôl cael y Catskit angenrheidiol, a gwledda ar gwpanaid o de a phedair sgonen, penderfynodd fynd am dro i'r prom i gael awel y môr. Wrth ddilyn ei thrwyn digwyddodd weld rhywun oedd yn debyg iawn i Tomos Nant Gors Ddu yn eistedd ar y sedd, yn clebran yn gyfeillgar â menyw ddieithr a wisgai ffrog fflowrog a het las. A dweud y gwir, yn gyfeillgar iawn. Ond sut yn y byd yr oedd Tomos ar y prom pan ddylai fod yn y Confa Lescent?

Ond safodd gŵr tal a gwraig dalach, o'i blaen. Y dyn a lefarodd: 'Excuse me, madam. Could you tell me the name of that hill where the train is going up slowly?'

Casglodd Hanna Jên ei Saesneg at ei gilydd.

'Yess. Yess. We in Wales call it Constipeshon Hill.'

Edrychodd y gŵr tal i fyny ffroenau ei wraig, ac edrychodd hithau i lawr ar ei ben moel gan dorri allan i chwerthin yn ddilywodraeth, cyn ymddiheuro, 'Sorry, lady. But you have very funny hills in Wales.'

Yr oedd Hanna Jên yn barod iawn ei hymateb.

'Yess. Yess. And funny people come to Wales on holidess.'

Trodd hithau yn ei hôl wedyn er mwyn mynd heibio'r ddau a eisteddai ar y sedd. Yr oedd am gael sicrwydd pendant ai Tomos oedd yno.

'Good afternoon,' meddai.

'Good afternoon,' atebodd y fenyw â'r ffrog fflowrog a'r het las.

Ni chododd y dyn ei ben. Felly ni allai Hanna Jên weld ei wyneb yn iawn. Ond byddai Tomos yn sicr o'i chyfarch a'i phryfocio yn ôl ei arfer.

Yn hwyr y dydd, ar ôl newid ei dillad ac ymgeleddu'r cathod, aeth Hanna Jên i Nant Gors Ddu i weld Marged. Edrychodd Marged yn bryderus arni.

'O's rh'wbeth yn bod?' gofynnodd.

'Pam ry'ch chi'n gofyn?' Pesychodd Hanna Jên.

'Do'dd fowr o hwyl ar Tomos Ni neithiwr.'

'Ym . . . na. Dim ond dod lan am sgwrs cyn mynd i glwydo.'

Ni chysgodd Hanna Jên y noson honno.

Ar y Prom Eto

Daliodd Phebi Jones i syllu drwy ffenestr Awelfor nes i'r minibŷs ddiflannu rownd y tro. Yr oedd dialedd a chenfigen yn ei chalon am na chafodd hithau fynd gyda'r etholedig i Aberystwyth, a thaflu llwch i'w llygaid oedd dweud nad oedd ei hiechyd hi yn ddigon da i ganiatáu iddi hithau hanner diwrnod ar lan y môr. Heblaw hyn oll, pam y celwydd noeth fod y Metron i ffwrdd, a hithau wedi clywed ei llais yn y gegin? Yr oedd pawb yn ei herbyn.

Yna cofiodd am Gladys, sef Gladys Harries Williams-Davies, neu Mrs Cynfelyn, o barch i'w hail ŵr a hanai o gyffiniau Cors Fochno. Ac oni fu mam Phebi yn forwyn i fam Gladys am bedair punt y flwyddyn? Yr oedd y ddywededig Gladys wedi cael meddiannu stafell fechan iddi hi ei hun gyferbyn ag ystafell y Metron.

Yr oedd y drws yn gil-agored. Curodd Phebi yn ysgafn.

'Come in.'

'Yes, Phoebe. What can I do for you? Fe gewch chi ofyn yn Gymra'g os yw hynny'n well i chi.'

'Diolch yn fowr, Mrs Davies.'

'Mrs Williams-Davies.'

'Sori, Mrs Williams-Davies. Ches i ddim mynd gyda'r trip i Aberystwyth.'

'Pwy stopodd chi, Phoebe?'

'Y Metron.'

'I'll have a chat with the Matron.'

'Oh thank you, Mrs Cynfelyn. Sorry. Mrs Williams-Davies.'

'Don't apologise, Phoebe. You have made my day. Poor Cynfelyn would be thrilled if he had heard you. Sit down, Phoebe. No, no, not that chair. That's where the Matron sits when she comes in for a chat.'

Twriodd Gladys i ddyfnderoedd ei bag llaw.

'Hwdiwch, Phoebe. Dyma arian trip i chi.'

'O! Diolch yn fowr, Mrs Cynfelyn. Excuse me asking. Pryd bydd y trip?'

'Falle fory. Neu drennydd falle. You must have patience, Miss Jones. What is patience in Welsh?'

''Mynedd, Mrs Cynfelyn.'

'Ie, Phoebe. Amynedd, dyna'r gair, nid 'mynedd!'

Dychwelodd Phoebe yn hapus i'w hystafell gyffredin. Dim ond heddiw tan yfory, dim ond fory tan y trip! Nid oedd yfory na thrennydd yn flinder i ddisgwyl am eu dyfodiad.

Treuliodd Neli Ann yr oriau hynny'n ymbincio, golchi ei thraed, trefnu ei gwallt, gan oddef y cyrlers hyd y funud olaf. A chafodd gyfle ar y sedd rhwng y llwyni rhododendrons i docio ychydig ar wallt Tomos heb i lygaid busneslyd Loffti a Stalin eu gweld.

Nhw eu dau oedd y ddau gyntaf i ddringo grisiau'r minibŷs brynhawn trannoeth. Y nhw hefyd oedd yn rhoi sylwebaeth ar y ddwy olaf i gyrraedd gyda Nyrs Bowen.

'Ma' Phebi Wat yn dod heddi,' meddai Loffti.

'A ma' Gladys Dwbwl Barrel gyda hi,' ychwanegodd Stalin.

'Tripl Barrel bachan – Gladys Harries Williams-Davies.'

'A phaid anghofio Mrs Cynfelyn – he was lovely, poor thing.'

Yn ffodus iddynt hwy nid oedd Nyrs Bowen o fewn clyw, er ei bod ar adegau yn gorfod gwenu wrth wrando ar eu sylwadau carlamus, a bod ei cheryddon megis glaw taranau yn disgyn ar gefnau dwy hwyaden. Ond yr oedd Loffti a Stalin yn rhy brysur yn sylwi ar saga Phebi a Gladys fel na chawsant gyfle i ddilyn symudiadau Neli Ann a Tomos, a manteisiodd Neli Ann ar y diffyg hwnnw wrth ddisgyn o ben blaen y minibŷs yn Aberystwyth. Yr oedd wedi llwyddo i gael Tomos iddi hi ei hun.

'Beth am ga'l bwyd?' gofynnodd Neli Ann cyn i Tomos gael ei draed ar y ddaear yn iawn.

'Fe fydde te a bynsen yn dderbyniol iawn,' atebodd yntau.

Gwenodd Neli Ann. Yr oedd ganddi hi well syniad o lawer na the a bynsen. Cofiodd fel y bu iddi hi a Benja wledda ar Chow Mein fwy nag unwaith. Ac nid oedd dim yn fwy effeithiol na Chow Mein i wneud i Benja deimlo'n rhamantus.

'Dowch gyda fi,' meddai hi wrth Tomos.

Ac i ffwrdd â nhw. Gafaelodd Neli Ann yn dyner ym mraich Tomos, a chadwodd yntau ei lygaid ar y cerbydau gwallgof oedd yn gwibio'n felltigedig wrth fynd a dod. Yna, mewn egwyl fer o lonyddwch, gwelodd ei gyfle, a rhuthrodd am ei fywyd yn groes i'r ffordd gan lusgo Neli Ann driphlith-draphlith ar ei ôl. Wedi cyrraedd y palmant teimlai Tomos mor fodlon â hen bechadur annheilwng wedi iddo groesi'r Iorddonen yn ddiogel. Cerddasant yn araf yn eu blaenau rownd y gornel, ac i gyfeiriad canol y dref.

'Dyma ni,' meddai Neli Ann ar drothwy'r tŷ bwyta Sieineaidd.

Dilynodd Tomos hi fel cath amheus yn mentro'n ofalus i bantri drws-agored. Ond safodd yn stond gan rwbio'i lygaid.

'Be sy'n bod?' gofynnodd hi.

‘Rwy’n colli ’ngolwg. Fedra i ddim gweld fowr o ddim.’

Eglurodd hithau mai dyna’r math o oleuadau a arferai fod yno yn nyddiau Benja. Gafaelodd yn ei fraich a’i arwain at y bwrdd pellennig mewn cornel unig. Ymbalfalodd yntau am y gadair fel dyn dall, a’i roi ei hun i eistedd yn ofalus yn yr hanner-tywyllwch. Syllodd Tomos ar y lantar oedd yn hongian uwch ei ben, a chofiodd am y lantar-gannwyll ar wal y beudy wrth ddisgwyl buwch i fwrw llo ’slawer dydd.

Safodd y dyn main â’r dici-bow uwch eu pennau. Yna, estynnodd lyfr yr un iddynt. Derbyniodd Neli Ann lyfr cronicl y bwyd yn ddiolchgar ac yn foesgar o’i law. Teimlai Tomos megis y tro hwnnw yn y cwrdd gweddi pan estynnodd Mr Jones, y gweinidog, y Beibl iddo, gan ofyn a fyddai mor garedig â darllen pennod. Ond yr oedd mwy o oleuni yn y festri, er nad oedd yno ond dwy lamp baraffîn a channwyll grynedig ger astell y pulpud.

‘Be fynnwch chi i fyta?’ gofynnodd Neli Ann i Tomos.

‘Te a bynsen,’ atebodd yntau.

Gwenodd hithau’n dosturiol. Onid oedd Tomos mor ddiniwed a gostyngedig? Gallai fyw am byth yn ei gwmni, pe bai'n smocio baco mwy peraroglus.

'Chewch chi ddim te a bynsen yn y fan'ma. Gymrwch chi yr un peth â fi?'

Bodlonodd. Beth bynnag fyddai'r bwyd, os gallai Neli Ann ei fwyta, gallai yntau wneud hynny. Mewn Saesneg na ddeallai Tomos, archebodd hi'r bwyd. Cymerwyd y llyfr yn dirion o law Tomos hefyd, ac ymgrymodd y dici-bow lwrw ei gefn tua'r gegin.

Treiddiai miwsig esmwyth i'r ystafell, ond yr oedd yn anodd gweld yn y gwyll.

'Ma' rhywun yn whare gramaffôn yn rh'wle,' awgrymodd Tomos, er mwyn cael rhywbeth i'w ddweud i ladd amser yn y lle oedd mor ddieithr ei awyrgylch.

Eglurodd hithau, yn emosiynol, fod miwsig a hanner-tywyllwch yn magu stumog at fwyd. Synnodd Tomos wrth wrando ar y fath ymresymiad. Byddai basned o gawl cig mochyn ar y bwrdd o flaen ffenestr Nant Gors Ddu yn fwy derbyniol. Ond yr oedd aroglau digon gobeithiol yn dod o gyfeiriad y lle yr aethai'r dici-bow iddo. Ac wedi hir ddisgwyl dychwelodd y dyn main yn llwythog o drugareddau. Cofiodd Tomos am Mr Jones, gweinidog y Capel Bach, yn disgrifio pentrulliad Pharo yn pesgi Joseff yn yr Aifft.

Beth bynnag oedd ar ei blât, cyfaddefai Tomos fod aroglau hyfryd yn dyrchafu i'w ffroenau.

'Beth yw hwn?' gofynnodd, wrth chwilio am gyllell a fforc nad oedd yno.

'Chow Mein,' atebodd Neli Ann yn wybodus.

'Ro'wn i'n meddwl mai enw ar gi yw Chow.'

Chwarddodd Neli Ann yn uchel ac yn ddilywodraeth nes bod y dagrau'n treiglo o'i llygaid. Daeth yr hen ŵr melyngroen i ddrws ei gegin, a chwarddodd yntau wrth weld un o'i gwsmeriaid mor hapus. Aeth yn ei ôl i ddweud yr hanes wrth ei epil niferus, a llanwyd y gegin gan sŵn gorfoledd. Gwthiodd Tomos ei lwy i waelod y domen ryfedd oedd ar ei blât. Oedd, yr oedd yn fwytadwy. Bwytaodd y ddau yn helaeth yn y goleuni egwan. Yr oedd Benja a Marged wedi dianc i anghofrwydd llwyr.

Awr yn ddiweddarach, pan ddaeth Tomos allan i'r haul yng nghwmni Neli Ann, teimlai'n od ac yn benfeddw. Yr oedd wedi bwyta gormod o'r hyn na wyddai beth ydoedd. Safodd y ddau ar y palmant cyn rhuthro'n groes i'r stryd ac eistedd ar fainc gyfleus. Sylweddolodd Tomos nad oedd wedi cynnig talu ei siâr ef o'r bil.

'Faint sy arna i am y bwyd?'

Edrychodd Neli Ann i'w lygaid. Yr oedd ei

gwmni yn fwy o werth na'r Chow Mein. Dyna oedd yn ei meddwl beth bynnag.

'Rwy' wedi talu. Dim ond pumpunt o'dd e,' meddai hi'n llawen.

Bu bron i Tomos syrthio oddi ar ei sedd. Pum punt? Gallai brynu pedwar mochyn bach a sachaid o flawd iddynt, am hyd yn oed bedair punt 'slawer dydd.

'Fe gewch chi dalu'r tro nesa,' meddai Neli Ann.

Er fod awelon o'r môr yn gwyntyllu ei gruddiau, teimlai hi y gwrid o dan y powdwr. Nid oedd wedi cael y fath brofiad bendigedig ers y dyddiau pan syrthiodd mewn cariad â Benja, flynyddoedd maith yn ôl. Closiodd drachefn yn nes at Tomos, a dymuno cael aros yno hyd dragwyddoldeb yn gwrando ar sŵn y môr yn hyrddio'i donnau yn erbyn y graig.

'Pryd fyddwch chi'n mynd adre?' gofynnodd.

'Cyn dydd Sul,' atebodd Tomos.

Syrthiodd calon Neli Ann i'w sandal. Ni fyddai Awelfor yr un fath heb ei gwmni.

'A fyddwch chi'n anfon ambell lythyr ataf fi? Fe fyddwn i'n falch iawn o ga'l gair bach yn awr ac yn y man.'

Sylweddolodd Tomos fod ei chrafangau'n dechrau cau amdano. Cyn y Sul byddai'n ôl yng nghwmni Marged.

Daeth y cymylau bygythiol o'r de-orllewin i guddio'r haul, a dechreuodd yr hinsawdd oeri ar y prom. Closiodd Neli Ann yn nes at Tomos ar y sedd er mwyn iddo ei chysgodi rhag yr awel fain. Ni ddylai hi fod wedi gwisgo ffrog denau ar dywydd mor anwadal. Rhwbiodd ei breichiau noeth i geisio cyffroi'r gwaed.

'Ma'r towydd yn oeri,' meddai, a chryndod yn ei llais.

'Odi,' atebodd Tomos, gan fotymu ei got.

'Beth am fynd i'r pictiwrs?' gofynnodd Neli Ann.

Cofiodd Tomos am Ifans Biwla yn pregethu tân a brwmstan yn erbyn y pechod o fynd i'r pictiwrs. Er bod deng mlynedd ar hugain oddi ar hynny, daliai'r bregeth i lechu'n llechwraidd yn y cof.

'Na, wir, dyw'r pictiwrs ddim yn weddus i bobol barchus fel chi a fi.'

'Pam lai? Ma' hi'n gynhesach yn y pictiwrs nag ar y prom. Dw' i ddim am ddal dwbwl-niwmonia wrth sefyllian fan'ma,' meddai hi yn benderfynol a chadarn.

Dychrynodd Tomos wrth feddwl am ddwbwl-niwmonia, a chododd o'r sedd i fynd gyda hi. Beth pe bai Marged yn dod i wybod?

'Ble ma'r pictiwrs?' holodd.

'Dim ond draw fan'co.'

'Ro'wn i'n meddwl mai dim ond yn y nos ma' nhw'n dangos pictiwrs.'

'Na, na. Ma' matini y prynhawn 'ma, am hanner y pris i'r pensionîers.'

Nid oedd gan Tomos y syniad lleiaf beth oedd matini. Ni fedrai esbonio chwaith sut yr oedd Neli Ann yn cael y fath ddylanwad arno. Ond yr oedd yn well ganddo fod yn ei chwmni hi na dilyn Loffti a Stalin o gwmpas y dref. Safodd Neli Ann o flaen drws y siop wag i bowdro'i thrwyn yn gyflym.

'Odw i'n edrych yn well nawr?'

Atebodd Tomos yn y cadarnhaol. Beth arall a fedrai ei ddweud o dan yr amgylchiadau anarferol? Oblegid ni fyddai Marged byth yn powdro.

'Pryd buoch chi yn y pictiwrs o'r bla'n?'

'Dim cyn heddi,' cyfaddefodd Tomos fel pe bai'n cyffesu mawrddrwg pechadurus yr oriau oedd yn aros amdano.

Synnu'n anghredadwy a wnaeth Neli Ann, a thosturio wrth Tomos am iddo gael cymaint o gam, a'i amddifadu o un o fwyniannau bywyd bron ar hyd ei oes.

'Ro'dd Benja yn enjoio mynd i'r pictiwrs nawr ac yn y man. A ro'dd e'n dysgu llawer wrth fynd.'

Cysurodd Tomos ei hun. Os oedd Benja'n

gallu mwynhau ei hun yn y lle a alwai Ifans Biwla yn 'ffau'r diafol', siawns na fedrai yntau gael yr un mwynhad. Wedi'r cyfan yr oedd Ifans Biwla yn hen ffasiwn ei syniadau, a dweud y lleiaf. Ni sylwodd y ddau fod Stalin a Loffti yn edrych yn syn arnynt drwy ffenestr y tŷ tafarn yn groes i'r ffordd.

'Os na chawn ni briodas y Prins, falle cawn ni fynd i briodas Tomos a Neli Ann ryw dd'wrnod,' meddai Stalin wrth ddyrchafu ei beint yn grynedig at ei enau.

Nid atebodd Loffti. Am resymau amlwg yr oedd ei lygaid wedi eu hoelio fel dwy soser o dan ei dalcen.

'Two balcony tickets for O.A.P.'s, please,' meddai Neli Ann wrth y pen goliwog â'r sigarét rhwng gweflau o baent cochddu y tu cefn i'r panel gwydr. Gallai hyd yn oed gopa prennaidd y goliwog, oedd yn eiddo i fachgen neu ferch, ddeall fod Tomos a Neli Ann yn hen bensiynwyr.

'Go on, grandad, follow your mate up them stairs,' meddai'r goliwog wrth weld Tomos yn syllu'n hurt arno.

'Dilynwch fi,' gwaeddodd Neli Ann o waelod y grisiau gan afael yn ei law gorniog i'w arwain i fyny ac i fyny, nid i lawr i uffern fel y dywedodd gweinidog Biwla.

Agorodd Neli Ann ddrws gwyrdd anlwcus a'i arwain i'r tywyllwch eithaf. Y funud honno fflachiodd rhywun olau llachar i'w lygaid nes ei ddallu, ond gafaelodd Neli Ann yn ei fraich a dilynodd y ddau y person anweledig i lawr dros y carped meddal ac yna i'w seddau.

Syllodd Tomos ar y sgrin anferth yn dangos golygfa o garwriaeth anfoesol. Hysbyseb, gyda llaw!

'Welwch chi nhw yn u-ff-e-r-n,' bloeddiai Ifans Biwla o'r gorffennol, nes diflasu Tomos wedi'r holl flynyddoedd.

Safodd y fflashlamp, a chwyrlïo o gwmpas eu pennau i ddangos rhes o seddau. Yna fe wthiwyd Tomos ymlaen gan Neli Ann a'i osod i eistedd yn ei sedd. Daeth sŵn byddarol o gyfeiriad y sgrin, a dyn ar gefn ceffyl yn erlid rhyw ffoadur anffodus gan saethu i bob cyfeiriad. Ar y seithfed ergyd syrthiodd y truan dros y graig. Yno bu'n hofran am eiliadau rhwng nef a daear cyn disgyn yn gorff llonydd yn y dyfnder islaw. Cynhyrfwyd Tomos gan y digwyddiad.

'Pam o'dd e'n saethu hwn'na?' gofynnodd yn uchel.

'Dim ond stori yw hi,' eglurodd Neli Ann.

'Be quiet,' meddai llais o'r tu ôl iddynt.

Chwarter awr yn ddiweddarach, marchogodd

y cowboi'n benuchel tua'r gorwel. Trannoeth byddai'n dychwelyd i ennill brwydr dyngedfennol arall. Ond ni wyddai Tomos hynny.

'Ma' ceffyl da gydag e. Ond piti ma' ceffyl gwyn yw e,' meddai Tomos cyn i'r miwsig aflafar gyhoeddi diwedd y ffilm.

'Ry'n ni wedi bod yn lwcus i gyrra'dd cyn i'r ffilm fowr ddechre,' gwaeddodd Neli Ann yn ei glust.

Diolchodd Tomos i Neli Ann am ei gweledigaeth. Yr oedd yn gynnes a chysurus yn y pictiwrs. Mor gynnes â beudy Nant Gors Ddu ar brynhawn o aeaf pan oedd anadl y gwartheg fel gwres canolog. Ymbalfalodd yn ei bocedi yn y tywyllwch am ei bibell, ei faco, a'i fatsys. Yna, wedi cael trefn ar bethau, taniodd fatsien a'i gosod ar y baco yn y bibell – oedd, yr oedd wedi llwyddo i gael tân – a thynnodd nes bod ei fochau'n pantio. Ond dechreuodd y pesychu mawr yn y seddau y tu ôl iddo, a llais cras yn cyhoeddi: 'Put that pipe out, man. Do you want to suffocate my wife? Blimey! Are you smoking old rope?'

Teimlai Tomos yn euog fel pechadur edifeiriol. Diffoddodd ei bibell. Edrychodd ar y sgrin. Dim ond rhyw garu dwl diddiwedd. Syrthiodd i gysgu yn y gwres.

Ni welodd Tomos y neges ar y sgrin: 'Will Mrs Evans and Mr Thomas Williams report back at once? The minibus is waiting for them.'

Chwarddodd pawb. Wel, bron pawb.

Deffrodd Tomos. Yr oedd Neli Ann yn ei ysgwyd.

Bustachodd yntau wrth ei dilyn rhwng y seddau.

'Mind my feet,' meddai llais benywaidd o'r tywyllwch.

Cyn i honno dawelu yr oedd esgidiau trymion Tomos wedi sathru ar ei thraed eiddil. Sgrechiodd honno. 'You clumsy old thing. Why don't you keep your feet to yourself?'

O'r diwedd daeth Tomos allan i'r goleuni llachar fel gwahadden wedi cael ei hun yn wynebu'r haul.

A mynd ar ras a wnaethant. Mor gyflym ag y medrai Tomos redeg mewn argyfwng mawr.

Wedi cyrraedd y minibỳs, gallai Tomos weld wynebau Stalin a Loffti yn gwenu arno fel dau ddiafol yn uffern. Dringodd risiau cerbyd y Wladwriaeth yn araf. Eisteddodd yn ymyl Neli Ann. Ni ddywedodd neb air. Gellid clywed y distawrwydd yn cyhuddo. Yna, daeth llais Nyrs Bowen fel taran yn hollti'r cwmwl.

'Rhag eich c'wilydd chi'ch dau. Ry'n ni wedi bod yn disgw'l ers dros hanner awr. Rwy'n synnu atoch chi, Tomos Williams . . . chi o bawb.'

Bu'r gyrrwr yn ddoeth i gychwyn y minibŷs.

Llefarodd Mrs Gladys Harries Williams-Davies yng nghlust Phebi Jones, 'Would you believe it? Shame? If I told Cynfelyn he would be disgusted. But if Cynfelyn was alive, I wouldn't be with this lot. Have you enjoyed your day, Phoebe?'

'I did, Mrs Cynfelyn. Yes, I enjoyed the trip very much. Thank you, Mrs Cynfelyn fach.'

A dechreuodd pawb ganu – Adre, adre blant afradlon.

Pawb ond Neli Ann a Tomos.

Ffarwél Awelfor

Yn sydyn ac yn ddirybudd, cafodd Tomos wybodaeth a sicrwydd y gallai fynd adref at Marged, gan fod y meddyg yn fodlon iawn ar ei gyflwr. Ni syrthiodd y geiniog ar unwaith, oblegid fel llwdn strae ymhlith diadell ddieithr yr oedd yntau wedi ymgynefino heb gartrefu'n llwyr yn Awelfor.

'Dwyt ti ddim yn edrych yn falch iawn dy fod ti'n ca'l mynd adre,' meddai Loffti wrth ymwthio ar ei draed a'i ddwylo i chwilio am y darn arian a dreiglasai ymhell o dan y gwely.

'Ma' Neli Ann yn mynd i dorri'i chalon ar dy ôl di, Tomos. Ddylet ti ddim 'i thwyllo hi,' ychwanegodd Stalin yn bryfoclyd.

Y foment honno, tarawodd Loffti ei ben yn erbyn gwaelod y gwely nes gweld degau o sêr yn hofran yn y gwagle yn ei benglog, a hedfanodd rheg gyfarwydd o'i enau. Pan gododd yn drafferthus ar ei draed, canfu Nyrs Bowen yn edrych yn gas arno. Yr oedd Stalin wrth ei fodd. Ond yr oedd y nyrs yn benderfynol o ddysgu gwers i'r ddau. Syllodd fel draig i lygaid Loffti.

'Dylech chi ddim rhegi fel'na. Ond beth arall sydd i ddisgw'l oddi wrth ddyn fel chi? Ma' golwg ofnadw' arnoch chi. Pam na fihafiwch

chi, ddyn? Yr adeg yma y llynedd ro'wn i ar gwrs yn Affrica lle roedd dynion bonheddig a diolchgar, a dyma chi'ch dou fel canibalied.'

Rhwbiodd Loffti ei dalcen, a chwarddodd Stalin i'w ddwrn wrth weld doniolwch y sefyllfa ddigrif. Edrychodd y nyrs yn sarrug arno yntau.

'Dyna fe. Chwarddwch chithe hefyd. Rwy'n synnu at hen ddynion fel chi yn ymddwyn fel plant bach. Y'ch chi ddim yn meddwl y dylech chi barchu'r lle 'ma, a dangos parch at y metron a'r nyrsys?'

Crymodd Stalin a Loffti o dan y fflangell. Gallai Nyrs Bowen fod yn ddeifiol ei thafod wrth geryddu. Ond mentrodd Tomos dorri ar ei thraws.

'Nyrs fach. Fyddech chi'n fodlon ffonio Hanna Jên i ofyn iddi fynd i Nant Gors Ddu i 'weud wrth Marged mod i'n ca'l mynd adre?'

Edrychodd hi'n dirion ar Tomos. Cafodd gyfle gwych i ddysgu gwers i Stalin a Loffti. Ac yr oedd angen eu dodi yn eu lle.

'Unrhyw beth i chi, Mr Williams. Ry'ch mor hawdd i'ch trin. Fe ffonia i ar unwaith.'

Ac allan â hi gan adael y ddau 'bechadur' fel dau blentyn drwg wedi cael cerydd.

'Arnat ti o'dd y bai,' ceryddodd Stalin.

'Be wnes i?' gofynnodd Loffti, mor ddiniwed â'r golomen.

Rhannodd Tomos owns o faco rhyngddynt yn y tawelwch llethol.

Daeth Miss Charles â thri cwpanaid o de iddynt o'r gegin. 'With the compliments of Nurse Bowen,' meddai.

Estynnodd ei gwpanaid i Tomos, a gosododd yr hambwrdd a'r ddau gwpanaid arall ar y bwrdd o dan drwynau Loffti a Stalin.

Ond ni chododd un o'r ddau ei draed i fynd i'r gegin i ofyn am y basn siwgr. Byddai'r weithred honno, yn ogystal ag ymddiheuriad ar ran Miss Clarke, yn bosibl rai oriau ynghynt.

Yr oedd Hanna Jên wedi taflu'r mat ar y llidiart haearn o flaen ei thŷ, ac yn ei bwnio'n ffyrnig nes bod y llwch a'r blew cathod yn codi'n gymylau afiach allan ohono, pan ganodd cloch y teliffôn yn y ciosg. Gwthiodd hithau big ei chap o'i llygaid, a brysiodd i dderbyn y neges. Cododd y teclyn a gwrando'n astud.

'Reit iw âr. Diolch i chi, Nyrs Bowen. Fe fydd Marged Williams yn ca'l y neges cyn pen hanner awr, a synnwn i fochyn na fydd Bilco, sy'n cadw cwmni i Marged 'i fodryb, lawr gyda chi 'na at wans. Maddeuwch fi'n gofyn fel ffrind y teulu. Beth o'dd trwbwl Mr Tomos Williams? Ma' fe wedi bod miwn am spelen gyda chi yn y Confa Lescent, be chi'n galw?

Rwy'n ffeili cofio'r geire mowr Sysneg. Odi afiechyd Mr Tomos Williams yn seriws? Rhyngoch chi a fi ma' hyn.'

Yn ddiplomataidd wrth beidio dweud dim, rhoddodd Nyrs Bowen y ffôn i lawr, ac ysgydwodd Hanna Jên y teclyn oedd yn ei llaw gan felltithio diffygion technegol yr oes wyddonol hon. Plygodd yn ei dau-ddwbl a chasglu ei holl nerth i agor drws ystyfnig y ciosg cyn dianc o'r caban cyfyng, ffenestrog, a rhegi y sawl a'i dyfeisiodd. Trodd yr allwedd i gloi drws ei thŷ, a neidiodd yn chwyrn ar gefn ei beic rhydlyd a fu'n pwyso'n flinedig ers oriau ar dalcen y clawdd cerrig.

Cyn iddi bedlo hanner milltir, a'i phen a'i phen-ôl lan a lawr bob yn ail, dechreuodd bigan glaw, ond yn hytrach na throi'n ôl am ei chot penderfynodd Hanna Jên wneud pob ymdrech i gyrraedd Nant Gors Ddu o flaen y gawod.

Yr oedd Ianto'r Hewl eisoes yn llechu ym môn y berth, a llawenychodd ei galon wrth ganfod y fenyw a'r beic yn agosáu. O holl ferched y ddaear, hon a ddewisai Ianto i fod yn wraig briod gyfreithlon – neu hyd yn oed anghyfreithlon – iddo ef ei hun, ac er iddo ei cheisio'n ddyfal mewn amser, ac allan o amser, ni lwyddodd i gael ei llaw arw, gorniog. A gwenodd Ianto.

'Rwyt ti fel giâr fach bert yn dianc o fla'n glaw.'

'Rwyt tithe fel cwrci mowr, tew, yn cwato yn y berth,' gwaeddodd hithau wrth fustachu heibio, nes bod y beic yn gwegian yn wichlyd o dan ei holl bwysau.

Gwaeddodd Ianto nes bod y cwm yn atseinio.

'Bydd giâr fach bert yn dod i freichie Ianto ar 'i ffordd 'nôl.'

'A bydd y cwrci mowr, tew, yn fflat o dan y ddwy whilen beic ar y ffordd 'nôl. Cer i olchi dy bants.'

'Ar ôl inni briodi fe fydda i'n mynd ma's yng ngole'r llouad i hongian dy bantalŵns ar y lein ddillad yn yr ardd.'

Ond yr oedd Hanna Jên allan o glyw erbyn hyn, gan adael Ianto i siarad ag ef ei hun ym môn y berth.

Penderfynodd y gawod nad oedd y fenyw ar gefn ei beic i gyrraedd y mynydd o'i blaen, a phan oedd Hanna Jên yn dod i olwg Nant Gors Ddu agorwyd holl ffenestri'r nefoedd. Melltithiodd hithau ei ffolineb dwl yn mentro heb ei chot law, a phedlodd fel pe bai heb fod yn gall.

'Ma' rhyw gorffyn yn debyg iawn i Hanna Jên ar gefen beic yn dod drw'r llifogydd,' meddai Leisa Gors Fawr wrth Marged, a chyn i

Leisa orffen cnoi'r darn o'r cig eidion a osodwyd ger ei bron, rhuthrodd Hanna Jên i'r gegin fel Mrs Noa yn dianc rhag cynddaredd Dilyw ym more bach y byd. Daliai ei breichiau allan fel bwgan brain yn ceisio'n ofer i ddychryn adar. Llifai afonydd o ddyfroedd o'i gwallt i lawr dros ei gruddiau, gan adael ceulannau mwdlyd ar eu ffordd i'w gwddf. Taflodd Leisa y darn bîff yn slei i'r gath, am fod gan honno ddannedd mwy miniog ac effeithiol.

Llefarodd Leisa. 'Dillad llygod, o'dd raid i ti ddod ma's o'r cwtsh ar shwd dowydd? Pam na fyddet ti wedi aros i gysgodi yn shed wair Ianto'r Hewl?'

'Yffach, dyw Ianto ddim yn saff i fod ar 'i bwys e ar yr hewl, heb sôn am fod gydag e mewn shed wair.'

'Dillad llygod, rwyt ti wedi bod gydag e, a phaid gwadu yng ngwlad Efengyl.'

Taerodd Hanna Jên fod Ianto yn ystod cyfnod eu carwriaeth slei yn cadw ei hun yn lân ac yn eillio bob yn eilddydd.

'Ond nawr dyw 'i gorff e ddim yn gweld dŵr yn amal, a ma'r tŷ fel twlc.'

'Dyna pam ddylet ti fynd 'nôl ato fe. Ma' Ianto'n fachan iawn, dim ond iddo fe ga'l ymgeledd.'

'Ma' gen i ddigon o gyfrifoldeb i ymgeleddu'n hunan, heb sôn am roi ymgeledd i Ianto.'

A chofiodd fod ganddi neges bwysig.

'Yffach! Nawr cofies i. Rwy' wedi dod lan ar ran Nyrs Bowen o'r Confa Lescent.'

Stopiodd Marged a Leisa yn stondsyth fel dwy ddelw fud, lygadog, ar lawr y catacŵm yn San Sebastian. Ond dadebrodd Marged.

'Wyt ti am 'weud fod Tomos Ni wedi ca'l pwl arall?'

'Na. Ma' Tomos Williams yn gwella, a ma' fe am i chi fynd â rhyw gonfeians i nôl e adre,' meddai Hanna Jên, yn anesmwyth yn ei dillad glybion.

'Cer mla'n at y tân. Fe wna i gwpaned o de i ti a Leisa.'

Yr oedd Marged yn hapus, a chododd ei dwylo mewn gorfoledd wrth dderbyn y newydd am ddychweliad Tomos.

'Dim te i fi. Rhaid i fi fynd adre i newid rhag ofan y niwmonia fowr.' Ac i ffwrdd â hi am ei bywyd cyn i'r niwmonia ymosod arni.

Ond ni chyrhaeddodd adref yn syth fel yr oedd wedi bwriadu, gan i Sara Gors Ganol redeg allan i'r ffordd, a chodi ei llaw arni fel plismon traffig yn atal llifeiriant moduron y stryd. Gwylltiodd Hanna Jên.

'Ma' hast arna i, Sara.'

'Dere i'r tŷ.'

'Ma' dillad glybion amdana i.'

'Ma' gen i danllw'th o dân. A fe gei di bilyn ne' ddou tra bydd dy ddillad di'n sychu.'

'Adre dylwn i fynd cyn i fi ga'l niwmonia.'

'Dere gyda fi, a fe gei di gwpaned o de a diferyn o whisgi i droi'r niwmonia'n ôl.'

Ufuddhaodd Hanna Jên, heb freuddwydio fod gan Sara gwestiwn pwysig i'w ofyn iddi. A chymerodd Sara ei hamser pan oedd Hanna Jên yn sipian ei whisgi-ar-ben-dŵr, cyn iddi ofyn, 'Welest ti Tomos pan fuest ti'n Aberystwyth y dydd o'r bla'n?'

'Yffach! Do a naddo.'

'Be wyt ti'n feddwl "Do a naddo"?'

'Wel, ma' hi fel hyn. Rho amser i fi gofio, wa'th yffach ma'r whisgi'n gryf. Ble o'wn i nawr? O ie. Ro'wn i wedi mynd i Aberystwyth i nôl stwff blew cathod. Dyna fe, ie, stwff i roi ar y cathod o'dd yn colli 'u blew. Ta beth i ti, fe es i at y prom ac fe weles y fenyw 'ma'n iste ar y sêt, a'r dyn o'dd gyda hi yn debyg iawn i Tomos Williams – ond allwn i ddim gweld i wmed e, a ro'dd 'i hat e lawr dros 'i dalcen e. Yffach, myntwn i, ma' fe'n debyg i Tomos Williams, Nant Gors Ddu, ond allwn i ddim bod yn siŵr.'

Torrodd Sara ar ei thraws. 'Beth o'dd y fenyw yn 'i wisgo?'

'Yffach. Rwy'n cofio nawr. Un da i gofio yw'r whisgi 'ma. Fe 'wedwn i mai ffrog fflowrog o'dd amdani, a hat las ar 'i phen. Pam wyt ti'n gofyn?'

Syrthiodd Hanna Jên i gysgu ar y sgiw cyn iddi gael ymateb Sara. Ond yr oedd Sara wedi cael o leiaf dri pen llinyn i'r dirgelwch, sef: y ffrog fflowrog, yr het las, a'r ffaith fod y dyn yn ymyl y fenyw ar y sedd ar y prom yn debyg iawn i Tomos. Ei dyletswydd hi oedd mynegi ei phetruster wrth Marged cyn i Tomos fynd yn aberth i glonc a chleber y gymdogaeth. Er bod y glaw wedi peidio, nid oedd am fynd ar ei hunion dros y Banc i Nant Gors Ddu am fod Bilco a'i fab Tomos Dylan o Gwm Aberdâr, sef perthnasau Marged, o gwmpas, ac yn aros yn y garafán gerllaw.

Yn yr hwyr brynhawn pesychodd y landrofer, yn cynnwys Bilco, Marged, a Tomos Dylan, i fyny'r dreif at Awelfor.

'Dyco fe, Wncwl Tomos, yn y ffenest,' gwaeddodd Tomos Dylan yn gyffrous.

'Ma' dy lyged di'n well na'n llyged i,' meddai Marged, a da oedd hynny am na fedrodd hi weld Neli Ann yn sefyll yn ymyl Tomos yn y ffenestr.

Stopiodd y landrofer yn sydyn ar y graean, a bu bron i Tomos Dylan fynd drwy'r sgrin wynt. Syrthiodd gwep y bychan yn ei ddychryn, a phowliodd y dagrau dros ei ruddiau.

'Cer i 'weud wrth Wncwl Tomos ein bod ni wedi cyrra'dd,' meddai Marged wrtho. Sychodd yntau ei lygaid, rhedodd allan o'r cerbyd i gyfeiriad y drws agored, ac i fyny'r grisiau. Yr oedd ei ffrind, a'i faldodwr, ar fin cychwyn adref i Nant Gors Ddu, a byddai hwyl ar yr aelwyd eto. Nid nad oedd yn hoffi Anti Marged, ond ei gwendid hi oedd y ffaith ei bod o hyd yn gweiddi'r 'Paid' hyn, a'r 'Paid' arall er ei fod yn gwisgo trowsus hir ers dros flwyddyn.

Daeth Neli Ann i eistedd i'r lolfa i hiraethu ar ôl Tomos, ac yn abwyd i ddywediadau pryfoclyd Loffti a Stalin.

'A ma' Tomos yn mynd adre.'

'Odi.' (Gwep.)

'Adre at Marged.'

'Ie.' (Gwep hir.)

'Shwd foi yw Tomos?'

'Smashing.' (Gwên.)

'Shwd fenyw yw Marged?'

'Horibl.' (Gwep.)

'Odi fe'n garwr da?'

'Lyfli.' (Gwên.)

Casglodd Marged ddilladau hospitalaidd Tomos at ei gilydd, a'u stwffio i'r bagiau plastig.

'Wyt ti'n falch o gael dod adre?' gofynnodd hi.

'Odw, am wn i.'

'Dwyt ti ddim yn swnio'n hapus iawn.'

Yr oedd yn rhaid i Marged alw heibio i'r lolfa i ffarwelio â Loffti a Stalin.

'Diolch i chi'ch dou am fod mor garedig wrth Tomos.'

'Ma' fe wedi enjoio'n grand,' meddai Loffti, gan dynnu sylw Stalin at Neli Ann oedd yn sefyllian yn ymyl y ffenestr gan edrych yn ddiflas ar yr ecsodus oedd yn barod i gychwyn.

'Be sy'n bod arni hi?' gofynnodd Marged.

Bu Loffti a Stalin yn cwnsela â'i gilydd am ugain eiliad cyn i Loffti gynnig ateb.

'Hireth ar ôl Benja – a ma' Tomos a ni'n dou wedi bod yn 'i chysuro hi. Ro'dd Tomos Williams yn ca'l gwell hwyl arni, a gweud y gwir.'

Ac ychwanegodd Stalin. 'Ma' Loffti wedi bwrw'r hoelen ar 'i phen. Gwedwch, Mrs Williams, odi Tomos Williams wedi arfer cysuro widws? Fe 'wedwn i fod hynny'n dipyn o grefft.'

Ni thrafferthodd Marged ateb y cwestiwn a fwriadwyd i dynnu ei choes. Gwelodd fod Tomos yn disgwyl amdani yn y coridor a bod Neli Ann yn closio i'w gyfeiriad.

'Dere, Bilco,' meddai.

A llwyddodd Bilco i ddweud gair wrth Neli Ann. 'Ma' croeso i chi ddod i'r garafán am wthnos pan fydd y wraig a fi yn mynd i'r Eil o' Man.'

Clampiodd Stalin ei law am geg Loffti rhag ofn i hwnnw ddweud rhywbeth na ddylai.

'Ble ma'r garafán?' deisyfodd llais bloesg Neli Ann i grafu gwybodaeth.

'Dim ond hanner canllath o Nant Gors Ddu,' atebodd Bilco.

Ni chymerodd Marged arni ei bod yn clywed. Ond yr oedd ei thraed bychain yn ffat-ffatian yn drymach ac yn fwy penderfynol ar y llawr carpedog. Yr oedd ei cherddediad yn llefaru yn huotlach na'i thafod, er y gallai honno fod yn ddeifiol ar adegau prin.

Dychwelodd Loffti a Stalin i wario hanner awr o'r hyn oedd yn weddill o'u dyddiau i arddangos eu diwylliant uwchben y bwrdd draffts. Ac nid oedd Neli Ann wedi cael dweud ei dweud eto. Safodd yn heriol uwch eu pennau moel. Yr oedd goruchafiaeth yn ei llais.

'Glywsoch chi hyn'na?' meddai'n heriol. 'Wythnos yn y garafán. Ac rwy'n mynd hefyd.'

Cerddodd allan yn ffroenuchel. Byddai wythnos yn y garafán gerllaw Nant Gors Ddu yn well na blwyddyn yn y nefoedd – dyna ddywedodd hi cyn cau'r drws yn glep o'i hôl.

Neli Ann mewn Carafán

Ar ôl iddi gael y gwahoddiad cynnes i dreulio wythnos yn y garafán yng nghornel cae Nant Gors Ddu, teimlai Neli Ann fod Rhagluniaeth o'i phlaid. Wythnos gyfan o dawelwch a dirgelwch yn awelon y mynydd, ac wythnos gyfan o fewn cyrraedd agos i Tomos a fu'n gyfaill ac yn gwmnïwr mor ddiddan iddi yn Awelfor. Yr oedd y garafán yn rhad ac am ddim iddi, ond byddai'n barod i dalu'n llawen pe gofynnid iddi.

Ar y bore Llun hwnnw yn niwedd Gorffennaf, yr oedd Hanna Jên yn glanhau'r caban teliffôn o flaen ffenestr parlwr ei thŷ, nid am fod angen sgrwbiad arno, ond yr oedd bechgyn BT o gwmpas, a hithau am ddangos iddynt ei bod hi'n gwneud gwerth ei harian am y siec fechan a dderbyniai'n achlysurol. Heblaw hyn oll, ystyriai Hanna Jên mai braint a chyfrifoldeb iddi hi oedd gofalu am un o gabanau coch Post Brenhinol ei Mawrhydi mewn ardal ddiarffordd.

Stopiodd y tacsi yn sydyn. Gwthiodd y gyrrwr ei drwyn allan, gan gadw ei lygaid ar y darn papur oedd yn ei law.

'Excuse me. How can I get to this place – Nant Gors Ddu?'

Chwarae teg iddo, fe lwyddodd i ynganu Nant Gors Ddu yn ddigon da hyd yn oed i Hanna Jên ei ddeall, heb iddi gael ei goglais gan ymdrech aflwyddiannus dieithryn i gael ei dafod am air Cymraeg.

Gosododd Hanna Jên y bwced a'r mop yn blwmp i lawr ar y ddaear, a sychodd ei dwylo yn ei ffedog sach o stordy Spillers 'slawer dydd. Yna, tynnodd ar holl adnoddau ei hychydig Saesneg at ei gwasanaeth yn yr argyfwng disymwth.

'Iw si iw go up mountein. Iw tyrn moto carr tw lefft, and iw go down streit on iwer hed.'

Gwenodd y gyrrwr yn ddiolchgar, gan dynnu ei gap-a-pig yn isel dros ei dalcen, er nad oedd yr haul yn dallu ei lygaid.

'How far is it?' gofynnodd drachefn.

Crafodd Hanna Jên ei phen. Nid oedd erioed wedi meddwl am y pellter yn Saesneg.

'Let me si now. E meil an a hâff. Byt tw bi on sêff seid, sei tw meils widd lots o yps a downs, and downs a yps on we bac.'

Wrth ymbalfalu drwy ei geirfa mor brin o eiriau Saesneg, cadwai Hanna Jên lygad barcud ar y fenyw a eisteddai yn ymyl y gyrrwr. Ble ar wyneb y ddaear yr oedd hi wedi ei gweld o'r blaen? Yna, cofiodd yn sydyn fel ceiniog yn cwympo i beiriant y meddwl. Onid hi oedd y fenyw a eisteddai yn ymyl Tomos ar y sedd ar y prom yn Aberystwyth y diwrnod hwnnw pan aeth hi i'r dref i chwilio am feddyginiaeth ar gyfer y cathod oedd yn colli eu blew? Oedd, yr oedd yn berffaith siŵr erbyn hyn. Yr un het las a'r ffrog fflowrog.

'Jiw, jiw,' meddai wrthi hi ei hun fel yr oedd y tacsi yn symud yn ei flaen. 'Ie, hi yw hi, reit i wala. Dyna beth yw shîcs, mewn gole dydd glân gloyw.'

Taflodd y bwced a'r mop i dalcen y tŷ. Hyrddiodd ei ffedog gynfas dos y berth i'r ardd cyn cloi'r drws, a neidio'n drwsgwl ar gefn ei beic rhydlyd i'w farchogaeth i ganlyn y cerbyd dieithr.

Yr oedd Ianto'r Hewl yn disgwyl amdani. Cododd hithau sbîd gan wibio heibio fel tanc y Jyrmans yn croesi'r Maginot Line yn ystod yr Ail Ryfel Byd.

'Briodi di fi?' gwaeddodd Ianto yn ddigon uchel i'r garreg ateb yn y cwm ofyn yr un cwestiwn yn fwy miniog.

'Fe brioda i di pan fydd mwncis yn angylion,' bloeddiodd hithau, gan adael Ianto i fyfyrio'n ddyfal mewn gwir benbleth beth oedd hynny'n ei olygu.

Daeth y tacsi i olwg Nant Gors Ddu. Siriolodd Neli Ann wrth weld y tŷ fferm, a charafán yn ei ymyl ar lawr y dyffryn. Rhaid mai honno oedd y garafán a addawyd iddi am wythnos gyfan.

'That's the place,' meddai hi wrth y gyrrwr tacsi.

Llywiodd yntau ei gerbyd yn ofalus i osgoi'r cerrig mawrion ar y ffordd arw. Pe buasai wedi cael gwybodaeth am y fath gyflwr, ni fuasai wedi mentro ei fywyd a sbrings ei dacsi.

'What a dump! Fancy people living in this backwood of twsdeenbeed.'

'My little heaven,' eglurodd Neli Ann, gan esbonio fod y nefoedd yn anodd i fynd iddi, ond ar ôl cyrraedd y gellid canfod gogoniannau'r paradwysaidd dir. Ni fynnai yntau ddadlau â'i gwsmer am ei fod yn gwybod mwy am y natur ddynol nag am y nefoedd.

Gan ei fod yn y fan a'r lle am y tro cyntaf, ymwthiodd Mr Peacock allan o'i dacsi i anadlu awelon iach y bryniau. Torsythodd fel paun. 'Dump or no dump – whatever I said about this godforsaken land I must admit that the fresh air is for free.'

Tynnodd Mr Peacock ei anadl o berfeddion gwaelod ei fol ac yn sydyn gwibiodd menyw ar gefn beic heibio o fewn llathen i flaen ei drwyn. Yr oedd hast ar Hanna Jên, a manteisiodd Neli

Ann ar yr ymyrraeth sydyn i ddianc i'r garafán a chloi'r drws ar ei hôl. Blinodd y dyn tacsi ar anadlu awyr iach, ac ar ôl bacio a symud ymlaen a bacio drachefn, dychwelodd i wareiddiad y gwastadeddau.

Yr oedd Hanna Jên erbyn hyn wedi cyrraedd drws agored Nant Gors Ddu. Brysiodd i ddweud ei hesgus o neges cyn i Marged ymddangos o'r gegin.

'Rhowch fenthyg torth i fi, Marged Williams, plis. Do's gen i ddim briwsionyn o fara yn y tŷ. Fe gewch chi dorth arall yn 'i lle hi nos fory fel y banc. Falle na ddylwn i ddod i fegian fel hyn, a chithe'n disgw'l fisitors pwysig.'

'Dwy' i ddim yn disgw'l fisitors. Crwt Sara Phebi o Gwm Aberdâr a'i ddwli sy wedi rhoi benthyg y garafán i'r fenyw hanner-call-a-dwl 'na am w'thnos.'

'Pwy yw hi, Marged Williams?' gofynnodd Hanna Jên, a'i hwyneb fel wyneb buwch ar fin bwrw llo cyntaf.

'Rhyw fenyw o'dd yn y Confalescent gyda Tomos Ni.'

'Ble ma' Tomos Williams wedi mynd? Fe ddyle fe fod adre er mwyn 'i chroesawu hi.'

'Ma' fe wedi mynd draw at Dafi Gors Fach i dorri'i wallt. Dyw e ddim yn beth neis iawn fod y fenyw ddwl 'na yn 'i ddilyn e fel dafad ddu yn ddigon pla'n i bawb i gweld hi, ond falle 'i bod hi am ga'l 'i gweld.'

Crafodd Hanna Jên y darwden oedd ar ei braich.

'Ry'ch chi yn berffeth reit, Marged Williams,' cyfarthodd Hanna Jên. 'Bydd yn rhaid i chi sefyll ar y'ch sodle. A pheth arall i chi, fe fydd pobol yn clebran, ond fydda i ddim yn gweud yr un gair wrth y byw na'r marw. Ma'r Jesebel 'na yn edrych fel pe bydde hi'n dod i aros am sbelen go lew wrth seis 'i phac hi.'

Edrychai Marged fel pe bai wedi difaru dod i'r byd. 'Be ddylwn i 'neud?'

'Ma' hwnna'n gwestiwn na fedra i mo'i ateb e, Marged Williams. Falle dylen ni'r myn'wod godi gyda'n gilydd fel Merched Beca 'slawer dydd a'i herlid hi adre o'ma.'

'Ro'wn i'n meddwl mai dynion o'dd Merched Beca, a bod rhai ohonyn nhw wedi ca'l mynd i'r carchar. Fyddet ti Hanna Jên yn fodlon mynd i'r carchar?'

'Fe fydde'n anodd i fi fynd. Pwy fydde'n ateb y galwade ffôn o'r ciosg o fla'n y tŷ? A pheth arall i chi, pwy fydde'n gofalu am y gath? Rhaid meddwl am bethe fel'na, Marged Williams.'

Aeth y ddwy allan i osod y dorth mewn bag ar garn y beic. Yr oedd Neli Ann yn gweiddi arnynt, ac yn codi ei llaw mor foneddigaidd â'r Cwîn yn cyfarch ei deiliaid o'i cherbyd agored.

'Iw-w-w. Iw-w. Rwy' wedi cyrra'dd. Ma'r garafán yn lyfli. Ble ma' Tomos? Gwedwch wrtho fe am ddod draw.'

Ciliodd Marged a Hanna Jên i'r tŷ fel dwy iâr mewn cawod sydyn o law taranau. Teimlai Marged yn eiddigeddus iawn yn y fath sefyllfa anghysurus.

'Ma' Tomos Ni yn fwy didoreth na'i gysgod. Ond fe gaiff e w'bod ble rwy i'n sefyll pan ddaw e adre.'

Yr oedd Hanna Jên yn barod iawn â'i chefnogaeth a'i chynghorion i Marged. 'Er mwyn popeth, cadwch e'n saff yn y tŷ, a pheidiwch gad'el iddo fe fynd ma's o'ch golwg chi, wa'th ma'r fenyw 'na'n beryglus. A pheth arall i chi, cofiwch gloi'r drws yn sownd cyn mynd i glwydo, a da chi cwatwch yr allwedd yn jogel lle byddwch chi, a neb arall, yn gw'bod ble bydd hi. Rych chi'n gweld, Margaret Williams, a rwy'n gweud y gwir, ma' dyn yn mynd yn wyllt pan fydd menyw ddierth yn gwasgu ato fe – a gweud y peth yn blwmp, ma' fe fel hwrdd Hydre.'

Gwrandawai Marged yn astud pan oedd Hanna Jên yn llefaru, a doedd dim cyfle ganddi i wthio gair i mewn ar ei dalcen.

'Meddyliwch am hyn, Marged Williams. Rwy'n cofio cario post am w'thnos pan o'dd y Postman Mowr yn sâl. Wyddoch chi fod Ianto'r Hewl wedi cymryd w'thnos o holides, a dyna ble bydde fe yn edrych ma's amdana 'i ac yn cwato yn y tai ma's neu'r shed wair ac yn dod amdana i. Ond trw' drugaredd ro'dd 'i goese fe yn llawn gwynegon, a finne'n medru rhedeg fel milast. Wedyn fe fydde'n begian i fi aros a rhoi cusan iddo fe.'

Torrodd Marged ar ei thraws.

'Fuest ti'n caru Ianto unwaith.'

'Do. Ond ma' fe wedi mynd yn ddidoreth ers blynydde, ac yn gweud pethe rhyfedd, a synnwn i fowr os yw Tomos Williams yn ca'l pylie fel'na.'

'Ma' Tomos Ni yn fwy tawel nag o'dd e ar ôl dod adre o'r Confalescent.'

'Dyna'r sein, Marged Williams.'

'Ro'wn i'n meddwl ma' wedi blino o'dd e.'

'Na, Marged Williams. Nid blinder o'dd e. Disgw'l am 'i gyfle ma' fe – ac yna "powns".'

'Wyt ti am 'weud fod Tomos Ni yn cario mla'n gyda'r Neli Ann 'ma?'

'Dim eto, Marged Williams. Disgw'l am 'i gyfle ma' fe, fel o'dd Ianto'r Hewl. Meddyliwch am Ianto'n gofyn i fi.'

‘ “Hanna Jên,” mynte fe. “Beth am i ni briodi a cha’l saith o blant?” Dyna ’wedodd e. Meddyliwch am ga’l saith o blant, a’r rheiny fel ’u tad yn wynegon i gyd? Dim ffïer.’

Eisteddai Hanna Jên ar y sgiw ac oddi yno gallai weld y garafán yn groes i’r afon. Yr oedd Marged a’i chefn at y ffenestr yn gwrando ar Hanna Jên yn doethinebu am Ianto’r Hewl, ac am y temtasiynau a allai lorio Tomos yn ei hen ddyddiau.

Ar ganol y gors yr oedd Leisa Gors Fawr a Sara Gors Ganol wedi cyfarfod â’i gilydd fel dwy hwyaden ddŵr, ac yn trafod y sefyllfa echrydus. Lledodd Leisa ei breichiau, a gosod ei dwylo ar ei hystlysau nes ei bod yn edrych fel jŵg ddwy drontol. Poerodd yn ffyrnig i’r brwyn.

‘Rwy’n shŵr mai hi yw hi. Y fenyw ’na o’dd yn y Condalfesent gydag e. Rhag ’i ch’wilydd hi yn dod ar ’i ôl e ffor’ hyn.’

‘Glywest ti shwd beth arioed? Meddwl am y peth mewn gwlad Efengyl ac ynte’n briod ers blynydde,’ ychwanegodd Sara wrth gicio broga ifanc o dan ei throed, a hyrddio’r creadur bach i ddiogelwch ymhlith y brwyn.

Distawodd y ddwy yn sydyn gan blygu i ymguddio y tu ôl i glawdd y ffin. I lawr dros

lwybr y mynydd o gyfeiriad Gors Fach trafaeliai'r pechadur mawr ei hun, heb wybod eto fod Neli Ann wedi cyrraedd y garafán.

'Ma' dy fenyw di wedi cyrra'dd,' llefodd Leisa o ganol o gors. Ni chlywodd Tomos hi, oblegid cododd sneipyn trystiog yn wyllt o'r twmpath wrth ei draed. Ond clywodd y waedd o ddrws y garafán.

'Iw-w-w-w.'

Gwelodd Neli Ann yn chwifio'i llaw gan ei alw ati, a newidiodd yntau ei lwybr a'i gyfeiriad. A gwelodd y tri phâr o lygaid ddrws y garafán yn cau.

Ymsythodd Leisa a Sara o gysgod y clawdd, a pharablodd eu tafodau fel melinau gwynt.

'Chredwn i byth!'

'Wyt ti'n credu nawr?'

'Odw! Pwy fase'n meddwl?'

'Bydd yn anodd iddo fe ddod ma's o'i chrafange hi.'

'Os yw e am ddod. Ma' fe'n enjoio.'

'Ma' fe'n tynnu mla'n.'

'Ddim yn rhy hen i garu.'

'Beth am Marged?'

'Ma' hi'n rhy hen.'

'Ma' fe wedi'i dal hi ar adlam.'

'Ar ôl iddi golli Benja rwyt ti'n feddwl?'

‘Ie. Fedra i ddim meddwl am ’sboniad arall.’
‘Disgw’l, ferch. Dyco fe’n mynd.’
‘Yffach, fuodd e ddim yn hir.’
‘Naddo ’te. Be ma’ hynny’n feddwl?’

Gwelodd Hanna Jên yr holl saga heb symud o’r sgiw. Byddai ganddi hithau ei stori am un o sgandalau mawr tir yr ymylon i bwy bynnag a’i credai.

Cododd i fynd. A chododd Marged i agor y drws, ond yr oedd Tomos wedi ei agor o’i blaen.

‘Fuest ti ddim yn hir, Tomos.’

‘Naddo. Do’dd Dafi ddim adre i dorri ’ngwallt i. Fe alwes yn y garafán i weld fod Neli Ann yn iawn. Ac fe fues yn cadw llygad ar Leisa a Sara yn cloncan a gwylad y garafán. Ma’r ddwy heb ddim i ’neud allwn i feddwl. Be sy mla’n heddi, Hanna Jên?’

A diflannodd Hanna Jên ar gefn ei beic cyn i Tomos gael rhagor o gyfle i’w holi ymhellach am ei gorchwylion yn ystod y dydd. Yr oedd Tomos eisoes wedi ysbeilio ei diwrnod wrth iddo fod mor swta yn ei ymweliad â’r garafán.

Trefnu Trip

Penderfynwyd yn unfrydol ym mhwyllgor arbennig y Cyngor Plwyf mai Hanna Jên oedd y person mwyaf teilwng i fynd o gwmpas yr ardal i gasglu'r enwau ar gyfer y trip blynyddol.

Yr oedd tri rheswm o blaid y penderfyniad unfrydol – sef ei bod yn byw yn ymyl y ciosg teliffon, fod ganddi ddigon o amser ar ei dwylo, a'r ffaith fod ganddi feic a olygai na ddisgwylid iddi gerdded, ac am nad oedd ganddi gerbyd nid oedd galw am dalu treuliau petrol. Gellid ychwanegu hefyd, er na ddywedwyd hynny'n gyhoeddus, nad oedd neb arall yn chwennych y gorchwyl llafurus a di-ddiolch.

Brysiodd Jona Jones o'r pwyllgor pwysig i gyflwyno'r neges ar y ffôn i Hanna Jên.

'Hylô,' gwaeddodd hithau wedi rhuthro allan i'r ciosg o flaen y tŷ o ganol ei swper, a llond ei cheg o gig oer blasus coes mochyn.

'Hylô,' gwaeddodd eilwaith.

'Ti Hanna Jên sy 'na?' meddai'r llais pell, crynedig.

'Ie, fi, Hanna Jên sy 'ma. Gwaeddwch yn uwch. Ma'r lein yn wael iawn heno.'

Gwaeddodd Jona Jones nes bod ei frest wanllyd yn gwichian yn y llwydrew cynnar. Ni fuasai wedi mentro allan oni bai ei fod yn gadeirydd pwyllgor arbennig y Cyngor Plwyf.

'Fi, Jona Jones, sy'n siarad. Ry'n ni wedi penderfynu'n unfrydol heno i ofyn a fyddi di mor garedig â chasglu'r enwe at y trip blynyddol. Ma'r trip yn mynd i'r Borth ar y nawfed ar hugain o'r mis, a ma'r enwe i gyd i fod miwn erbyn y pumed ar hugen. Wyt ti'n fodlon gneud y jobyn?'

'Stopwch fan'na, Jona Jones, i fi ga'l rhedeg i'r tŷ i nôl papur a beiro. Fydda i ddim cachad.'

Carlamodd Hanna Jên allan o'r ciosg ac i mewn i'r tŷ. Wedi iddi glandro drâr y cawdel, daeth o hyd i bapur ysgrifennu a beiro, a dychwelodd ar ras i dderbyn y manylion yn llawn.

'Reit, Jona Jones. Fe wna i 'ngore i gasglu'r enwe er fod yr amser yn brin. Fe ddylech chi fod wedi rhoi mwy o notis i fi i 'neud jobyn mor fowr. Ma' fe'n lot o gyfrifoldeb.'

Ymddiheurodd Jona Jones am fod yr amser mor fyr, ond aeth mor bell â dweud wrthi nad oedd ei thebyg yn Sir Aberteifi am drefnu trip, gan obeithio y byddai'n cael byw am flynyddoedd lawer i wneud y gwaith blynyddol.

Llyncodd Hanna Jên y bilsen o ganmoliaeth, ac fe'i sicrhawyd hithau y byddai ei henw yn cael ei gofnodi'n anrhydeddus yn llyfr bywiol cofnodion y Cyngor Plwyf.

Yn enw trigolion y fro, diolchodd Jona Jones iddi drachefn. Yna, ymwthiodd ei gorff eiddil allan i'r stryd ac i ystafell gefn y neuadd i hysbysu ei gyd-gynghorwyr fod Miss Hanna Jên Jones wedi cytuno â'u penderfyniad. Ac nid oedd yntau'n hawlio ad-daliad am yr alwad ffôn, gweithred a fyddai maes o law yn cael cydnabyddiaeth y Cyngor wrth iddo gael cais i aros ymlaen fel cadeirydd am dymor arall.

Cyn i Ianto'r Hewl, na lwyddodd Pwyllgor Priffyrdd y Cyngor Sir i'w drosglwyddo at y 'gang', danio'i bibell cyn cychwyn ar 'waith' y dydd, yr oedd Hanna Jên yn pedlo'n gochlyd ei hwyneb i fyny'r rhiw serth. Edrychodd Ianto'n edmygus a chariadus arni. Efallai mai hi fyddai ryw ddydd yn cau ei lygaid am y tro olaf.

'Ble rwyt ti'n mynd mor fore?'

Yr oedd yn rhaid iddi ddweud y gwir wrtho am unwaith am fod Ianto yn un o selogion y trip blynyddol, yn ogystal â bod yn ddraenen yn ei hystlys.

'Mynd i hela enwe ar gyfer y trip i'r Borth ar y nawfed ar hugain.'

'Wyt ti am i fi ddod?' pryfociodd Ianto.

'G'na fel rwyt ti'n dewis,' meddai hithau, wrth feicio heibio fel tornado. Gwenodd Ianto wrth feddwl am dreulio diwrnod cyfan ar draeth y Borth o fewn cyrraedd i Hanna Jên. A phe amgen gallai ei chofleidio rhwng twyni tywod Ynyslas am oriau ben bwygilydd.

Cyrhaeddodd Hanna Jên ben ei thaith yn Nant Gors Ddu cyn i Tomos a Marged godi oddi wrth y bwrdd brecwast. Cynhyrfodd Marged drwyddi.

'Rwyt ti'n fore iawn. O's rh'wbeth wedi digwydd?' gofynnodd yn drist a disgwylgar.

'Na, dod i gasglu enwe at y trip. Jona Jones ofynnodd i fi ar ran y Pwyllgor.'

'Wel, ie. Fydde neb yn well i 'neud y gwaith. I ble ma'r trip yn mynd 'leni?'

'I'r Borth. Lle bach neis ar lan y môr, a fowr o waith cerdded.'

'Rho enwe Tomos a fi lawr. Be wyt ti Tomos yn 'weud?'

Nodiodd Tomos ei ben i gyfeiriad y basnaid o fara te oedd ger ei fron. Edrychodd Marged allan drwy'r ffenestr ar gyfarthiad yr ast, a gwelodd Neli Ann yn croesi'r ffordd rhwng y garafán a'r tŷ. Sylwodd nad oedd wedi tynnu ei chyrlers eto a disgleirient yn haul y bore.

'Ma'r fenyw 'na yn rial niwsens,' mwmialodd Marged.

'Hylô 'ma,' meddai Neli Ann wrth gamu dros y trothwy.

'O's rh'wbeth yn bod? Ma' Miss Jones wedi

dod lan yn gynnar iawn. Dim newydd drwg, gobeitho.'

Edrychodd Neli Ann heibio i ymyl y palis ar Tomos yn llowcio'i fara te. Pe bai hi'n wraig iddo fe ofalai hi goginio bacwn a dau wy yn frecwast iddo bob bore. Rhaid i ddyn gael digon yn ei gylla i'w gadw'n hapus ac yn gariadus. Yr oedd hi'n deall erbyn hyn pam yr oedd Tomos mor flinedig a diwedwst yn ei chwmni. Atebodd Marged ei chwestiwn.

'Na, do's dim yn bod, thenciw, Mrs Ifans,' meddai wrth arllwys te i Hanna Jên. 'Ma' Hanna Jên wedi galw 'leni eto i gasglu enwe ar gyfer trip y Borth.'

Llawenychodd Neli Ann wrth glywed sôn am drip. Yr oedd hithau hefyd yn awyddus i gael diwrnod cyfan ar lan y môr yn y Borth, yn enwedig os oedd Tomos yn mynd.

Ar ei ffordd yn ôl pedlodd Hanna Jên nerth ei thraed a'i choesau gan fynd heibio Ianto'r Hewl fel angel o Baradwys. Yr oedd problemau pwysicach na Ianto yn corddi ei meddyliau, ac nid arafodd nes cyrraedd talcen tŷ Jona Jones wrth ymyl y bont. Daeth o hyd i Jona wrth ddrws y cefn yn carthu ei frest cyn brecwast.

'Ma' gen i broblem fowr, Jona Jones,' meddai

Hanna Jên wrth ymladd yn ymdrechgar am ei gwynt.

'Be sy'n bod 'nawr?'

Nid oedd Jona, cadeirydd y Cyngor Plwyf, yn hoffi'r syniad o ddelio â phroblemau mor gynnar yn y dydd, yn enwedig cyn brecwast. Poerodd Hanna Jên yn drefnus dros y gath i gornel yr ardd flodau.

'Ma'r fenyw 'na sy yn y garafán yn Nant Gors Ddu am ddod gyda ni ar y trip. Odi hi'n arferiad i roi caniatâd i bobol ddierth joino gyda ni?'

Crafodd Jona ei ben mewn myfyrdod dwys. Cofiodd fod yr un teip o broblem wedi codi unwaith o'r blaen, ond trwy drugaredd nid ef oedd yn y gadair y flwyddyn honno. Un peth oedd cael ei enw yn y *Cambrian News* a'i longyfarch ar ei ddyrchafiad cyfrifol, ond peth arall oedd delio â phroblem ddyrys. Disgwyliai Hanna Jên am ateb fel corgast y Cwîn yn disgwyl am ddarn o gig oddi ar y plât brenhinol. Ond cafodd Jona weledigaeth.

'Bydd yn rhaid i fi alw Pwyllgor Brys.'

'Chi sy'n gw'bod, Jona Jones. Chi yw Sherman y Parish Cownsil,' meddai hi wrth daflu'r cyfrifoldeb ar ysgwyddau Jona.

'Dyma fe. Rhaid galw'r Pwyllgor Brys ac fe gei di wybodaeth wedyn.'

Ni wyddai Hanna Jên beth oedd Pwyllgor Brys, ond yr oedd yn swnio'n bwysig iawn. Ac i ffwrdd â hi gan obeithio na fyddai rheidrwydd arni hi i ymddangos i roi tystiolaeth ger ei fron.

Galwyd y Pwyllgor Brys, sef Jona, Wil Moto Beic a Dan Bach Tŷ Capel. Cyflwynodd y cadeirydd y mater dan sylw yn ddoeth ac yn bwyllog, gan ymddiheuro i'r Pwyllgor am eu galw mor ddirybudd (er mai Pwyllgor Brys ydoedd). Pwysodd arnynt i roi ystyriaeth ddwys i'r broblem, ac am iddynt feddwl yn ddifrifol cyn agor eu cegau i lefaru. Wedi ennyd o dawelwch llethol, cynigiodd Wil Moto Beic nad oedd Mrs Neli Ann Evans i gael ymuno â'r trip am nad oedd ei henw ar restr etholwyr y plwyf. Yn ychwanegol at hyn byddai rhoi caniatâd yn creu 'prisident'.

Aeth Jona i'r niwl gyda'r 'prisident'. Onid ef oedd y President? Cododd Dan Bach Tŷ Capel ar ei draed i gyfarch y gadair, ac i gynnig eu bod yn rhoi caniatâd, gan bwysleisio na ddylent greu apartheid yng nghefn gwlad Cymru fel yn Ne Affrica. Cafodd Jona bwl cas o beswch wrth sylweddoli mai ei bleidlais ef fyddai'n penderfynu tynged Mrs Neli Ann Evans a hefyd yn rhoi cyfle iddo ddelio â'r 'prisident'. Carthodd ei wddf cyn llefaru'n wichlyd.

'Wel, frodyr,' meddai, a phesychu. 'Wel, frodyr, bydd yn rhaid i fi fel cadeirydd y Cyngor Plwyf, a chadeirydd Pwyllgor y Trip yn rhinwedd fy swydd fel cadeirydd y Cyngor Plwyf, setlo'r broblem sydd yn broblem ddyrys a dweud y lleiaf. Nid wyf yn cytuno â'r cynnig cyntaf ynglŷn â'r ffaith fod rhoi caniatâd yn creu "prisident", gan mai fi yw'r president, a byddai delio â mater y "prisident" yn gyfrifoldeb y Pwyllgor Mawr, sydd wedi ethol y President yn unol a rheol â threfn Prydain Fawr. Fe gyfeiriodd Mr Daniel Bowen at yr apartheid, a hen greadur creulon yw'r apartheid yn Affrica, ac y mae cynnig Mr Bowen wedi apelio'n fawr ataf. A'r penderfyniad cyfansoddiadol yw fod Mrs Neli Ann Evans yn cael joino'r trip i'r Borth.'

Sleifiodd Wil allan heb siarad â neb a chwyrnellodd i ffwrdd yn bwdlyd ar ei foto beic, yn benderfynol o beidio â sefyll lecsiwn y tro nesaf.

Brysiodd Jona i'r ciosg i hysbysu Hanna Jên beth oedd penderfyniad y Pwyllgor Brys ar ôl trafod cais Neli Ann.

'Reit iw âr,' meddai hi. 'Fe fydda i lan y peth cynta bore fory i roi'r niws i Mrs Ifans. Fyddech chi'n fodlon gweud a o'dd rhywun yn erbyn gad'el i Mrs Ifans fynd gyda'r trip?'

Gosododd Jona Jones y ffôn i lawr yn dawel. Nid oedd am hongian dillad budron y Cyngor o flaen llygaid busneslyd y byd. Yr oedd hyn yn rhan o'i gyfrifoldeb fel cadeirydd a dyngodd lw cyn derbyn y swydd.

Cadwodd Hanna Jên ei haddewid, a gwelwyd hi a'r beic ar ffordd y mynydd yn gynnar fore trannoeth, ond nid yn rhy gynnar i'r boregodwyr chwaith.

Daeth i olwg Nant Gors Ddu a gweld y drws ar agor led y pen yn yr haul tanbaid, ond nid oedd arwydd o fywyd o gwmpas y garafán. Wrth gwrs, ni ddisgwyliai weld mwg yn codi o'r simdde gan mai tân nwy oedd gan Neli Ann. Bu rhwng dau feddwl a ddylai alw yn y garafán yn gyntaf cyn mynd ymlaen at Marged i gael cwpanaid o de er mwyn rhoi cyfle i Neli Ann gael amser i ymbincio.

Ond mentrodd at y garafán a chael y drws megis yn agor ohono'i hun. Ac yno o'i blaen safai Neli Ann yn ei ffrog flodeuog, a'i gwallt yn donnau celfydd yn gorwedd yn esmwyth ar ei phen.

'Dowch i mewn, Miss Jones. Ry'ch chi wedi dod a newyddion da, gobeithio.'

Dringodd Hanna Jên a chamu dros y trothwy.

'Bydd croeso i chi ddod gyda'r trip i'r Borth.'

'Wel, dyna newyddion da. Steddwch, fe wna i gwpaned o de i chi. Ry'ch chi wedi dod yn fore.'

'Ro'wn i am i chi ga'l y neges am y trip.'

''Whare teg i chi. Gymrwch chi siwgr a lla'th?'

'Plîs.'

'Beth am bishyn bach o deisen lap?'

'Plîs.'

Wrth ddisgwyl am ei the a'r deisen lap, dechreuodd Hanna Jên amau a oedd rhywun arall wedi bod o'i blaen yn y garafán, oblegid gallai arogli mwg baco, a hwnnw'n faco cryf. Roedd yn siŵr nad arogl mwg sigarét oedd yno. Ac yna sylwodd ar y badell yn ymyl y sinc oedd yn cynnwys dau gwpan, dwy soser a dau blât oedd eto heb eu golchi.

'Dyma ni, cwpaned i chi ar ôl dod yr holl ffordd.'

Cafodd Hanna Jên hanner awr wrth ei bodd, a chil-dwrn yn ychwanegol at y te a'r deisen lap, cyn iddi groesi i Nant Gors Ddu i weld Marged.

'Dere miwn, Hanna Jên. Fe weles i di'n galw yn y garafán. Shwd o'dd hi madam byterfflei?'

'Ro'dd hi'n garedig iawn a llond carafân o groeso.'

'Shŵr o fod. Soniodd hi am Benja?'

'Naddo. Dim gair. Odi Tomos Williams wedi codi?'

'Fe gododd yn fore i weld un o'r defed sy'n sâl ar y Banc. Ro'dd e wedi mynd cyn i fi godi. Fe ddaw 'nôl at 'i frecwast cyn hir – wel at 'i fara te – wa'th dyna'i frecwast e bob bore.'

Taith freuddwydiol oedd y daith tuag adref i Hanna Jên ar ei beic. Gallai arogli'r mwg baco o hyd, a gweld y llestri brecwast heb eu golchi yn y badell felen yn ymyl y sinc. Ond ni welodd hi Ianto'r Hewl cyn iddo lamu allan o'r clawdd a'i chofleidio yn ei freichiau, gan adael i'r beic ddianc i'r gwter ar y goriwaered. Yr oedd rhamant yn yr awelon y bore heulog hwnnw.

Ar Draeth y Borth

Disgleiriai gweoedd y corynnod yn haul y bore tra cerddai Tomos a Marged, Neli Ann, Leisa Gors Fawr a Sara Gors Ganol i ddal y bỳs yn ymyl y ciosg a thŷ Hanna Jên. Yr oedd Hanna Jên yn disgwyl amdanynt, ac ar ôl iddi eu gweld ysgydwodd y beiro ystyfnig er mwyn cyflyru llif yr inc, a gosododd anferth o groes afrosgo ar ôl pob enw, gan gynnwys ei henw ei hun, yn y 'Llyfr Trip'.

Cilwenai ei llygaid yn gochion o ddiffyg cwsg. Bu wrthi'n llafurus hyd ddau o'r gloch y bore yn ceisio gweithio allan faint o dâl y dylid ei godi ar y pleserdeithwyr. Casglasai ddeugain o enwau, a chawsai wybod mai pymtheg punt ar hugain oedd y bỳs am y dydd, felly nid oedd ganddi ond rhannu pymtheg punt ar hugain rhwng deugain, ond daeth i ddeall cyn hanner nos nad oedd y broblem mor hawdd â hynny. Wedi'r artaith o gyfrif bysedd yn fathemategol, rifyddol, hyd ddau o'r gloch y bore, nid oedd ronyn yn nes at yr ateb cywir. Yna, yn ei thymer wyllt, taflodd y papurau oedd yn frith o ffigurau baglau brain i'r grât oer, ac aeth i'r gwely â'i phen wedi cabarddylu'n llwyr.

Gwelodd y bỳs yn dod i fyny ar waelod y rhiw, a brysiodd i erlid y cathod allan o'r gegin cyn cloi'r drws. Erbyn hyn yr oedd y pump wedi cyrraedd, a Neli Ann yn eu plith fel iâr ddieithr ar domen anghyfarwydd. Edrychodd Hanna Jên yn syn ar ei sandalau bonheddig a'i sodlau uchel, ac wrth fynd yn agos ati daeth aroglau peraroglus i'w ffroenau.

'Sgiws mi. Beth yw'r ogle neis sy arnoch chi?'

'Midnight in Paris,' atebodd Neli Ann yn swil, ond yn falch am fod Hanna Jên wedi gofyn. Felly, nid oedd y persawr wedi'i wastraffu'n ofer yn awelon y gors a'r mynydd.

'Sebon Leiffboi carbolic fydda i'n iwso,' meddai Leisa wrth grafu o dan ei hasennau lle roedd y bodis newydd yn gwasgu.

Taniodd Tomos ei faco shàg yn ei bibell nes i'r fatsien losgi ei hun allan. Rhuthrodd Hanna Jên ato fel teiger.

'Dim smoco yn y bỳs. Ma' hyn'na'n ddeddf.'

'Pwy sy'n gweud?'

'Y fi,' meddai gan ddangos ei hawdurdod a'i dannedd.

Rhoddodd ei gwefusau wrth glust chwith Tomos i ychwanegu, 'A pheth arall i chi. Rhaid i chi eiste wrth ochor Marged Williams, nid ar bwys y Daleila 'na. Y'ch chi'n diall?'

Crymodd Tomos o dan ddeddfau'r gorchymyn a'r cerydd, a chofiodd am eiriau Mr Jones y gweinidog mai peryglus yw rhoi gormod o awdurdod yn nwylo'r werin. Gallai Tomos ddannod hyd yn oed i Hanna Jên iddo wario hanner awr unwaith wrth iddo achub ei bywyd rhag cynddaredd tarw'r Hendre. Ond ymdawelodd yn gall.

Cychwynnodd y bỳs ar ei daith swnllyd i'r Borth gan godi'r teithwyr llawen yma a thraw. Wedi corlannu'r tripdeithwyr olaf, cododd Hanna Jên ar ei thraed o'i sedd yn ymyl y gyrrwr gan bwyntio bys at bob wyneb. 'Wan . . . Two . . . Three . . . Thyrti . . . Thyrti Eit . . . Fforti,' gan roi ei bys ar ei chalon ei hun yn olaf oll. Yna cerdded yn bwyllog a sigledig i ben ôl y bỳs i ymgynghori â Jona Jones i ofyn iddo sut oedd rhannu pymtheg punt ar hugain rhwng deugain.

Y foment honno breciodd y gyrrwr yn sydyn i arbed bywyd ci strae ar y ffordd, a bu bron i Hanna Jên hedfan adref drwy ffenestr ôl y bỳs. Daeth rheg dros ei gwefusau, ond ni chlywodd Mr Jones y gweinidog – neu nid oedd yn dewis clywed.

'Ma' hi wedi bod ar y botel cyn brecwast,'

crechwenodd Bili Bach nes bod ei weflau'n ddrifls i gyd. Sychodd ei ên â llawes ei got.

Anelodd Hanna Jên fonclust ato gan fethu'n druenus. Daeth gwên sanctaidd i wyneb y bugail. Yr oedd Mr Jones yn cael mwynhad am fod ei braidd ac eraill yn ymbleseru fel hyn yn ddiniwed.

'Shwd yffach ma' g'neud y sym 'ma?' meddai Hanna Jên wedi iddi gyrraedd Jona Jones heb gael ei hyrddio drachefn. Sylweddolodd Jona fod ei fathemateg yntau wedi rhydu gyda threigl y blynyddoedd, ond cafodd fflach o weledigaeth.

'Gofyn am bunt yr un, a gad i'r dreifer gadw'r hyn sy'n whaneg fel tip.'

Bendithiodd Hanna Jên y weledigaeth fawr. Ni fyddai dim yn hawsach na chasglu punt y pen. A hynny a fu. Erbyn iddi orffen yr oedd Bili Bach wedi meddiannu ei sedd hi yn ymyl y gyrrwr. Eisteddodd hithau ar yr hanner sedd oedd yn wag – a olygai ei bod yn rhannu sedd â Ianto'r Hewl. Curodd y rhai anystyriol eu dwylo'n frwdfrydig a daeth gwên sanctaidd eilwaith dros wyneb Mr Jones, y gweinidog, ond nid oedd amgyffred gan was yr Arglwydd pam yr holl guro dwylo. Gwyn eu byd y rhai addfwyn.

Yr oedd yn ddiwrnod hyfryd, ac aeth yn brynhawn cyn iddynt ymlonyddu ac ymlacio, a bwyta'u brechdanau. Ni fynnent or-fwyta chwaith, gan gofio y byddent yn swpera yn Aberystwyth ar eu ffordd yn ôl.

Eisteddai Mr Jones y gweinidog, Jona Jones, a Dan Bach Tŷ Capel yn ddiddig gyda'i gilydd ar lan y môr. Nid oedd Wil Moto Beic, aelod pwysig o'r Cyngor Cymuned, wedi ymuno â'r criw am fod y Pwyllgor Brys wedi rhoi caniatâd i Neli Ann ymuno â'r trip er nad oedd hi'n un o drethdalwyr y plwyf. Edrychodd Mr Jones yn foddhaus ar yr aelodau o bob enwad yn gorweddian ar y tywod. Yr oedd amryw o'i aelodau ef yn eu plith, er i rai ohonynt fod yn fwy ffyddlon i'r trip nag i'r capel.

'Pwy yw'r wraig fonheddig sydd efo Tomos a Marged Williams?' gofynnodd i'w gyd-eisteddwyr ar y traeth.

Edrychodd Dan Bach Tŷ Capel tua'r ddaear. Gafaelodd mewn carreg lafn o'r tywod, a'i thaflu ymhell er mwyn gweld y ci mwythus o Birmingham yn ei chyrchu a'i dychwelyd yn fuddugoliaethus yn ei geg.

'Mrs Ifans o'dd gyda Tomos Williams yn y Confalescent.'

'Odi hi'n perthyn i Tomos Williams?' gofynnodd Mr Jones.

Cwestiwn anodd iawn ei ateb yn onest. Taflodd Dan garreg arall i anfon y ci o Birmingham ar daith chwareus arall.

'Ma' nhw'n dipyn o ffrindie,' meddai cyflenwr y cerrig llyfnion. A diolchodd y wraig o Loeger iddo am faldodi ei chi anwes.

'Ffansi wman,' meddai Jona Jones mewn ateb doniol i gwestiwn difrifol y gweinidog. Ond ni welodd bugail eneidiau'r Capel Bach ddoniolwch yn yr hyn a lefarodd Jona. Syllodd yn drist i gyfeiriad y gorwel pell gan ochneidio'n drwm i gyfeiliant sŵn y tonnau'n torri ar y traeth wrth edrych ar Tomos yn eistedd ar y tywod, rhwng ei wraig a'i ffrind.

Mentrodd Leisa a Sara'n droednoeth a choesnoeth i'r Atlantic wrth fanteisio ar ei bàth blynyddol, a phan ddaeth ton anferth i'w hyrddio'i hun dros eu coesau ciliasant am eu bywydau gan chwerthin yn uchel. A chwarddodd Tomos a Marged a Neli Ann.

'Rwy'n mynd am dro. Y'ch chi'n dod?' gofynnodd Neli Ann gan ymgodi fel cameles o'r tywod.

Ni theimlai Marged awydd cerdded. Yr oedd hi'n ddigon hapus a bodlon ei byd wrth eistedd ar lan y môr yn mwynhau'r awelon iachusol.

'Cer di Tomos yn gwmni i Mrs Ifans,' meddai,

fel pe bai'n argymell gollwng ci drwg yn rhydd er mwyn cadw llygad ar ei symudiadau.

Cerddodd Tomos a Neli Ann gyda'i gilydd dros y traeth. Yr oedd Neli Ann wrth ei bodd pan sylweddolodd fod llygaid ei chydwibdeithwyr arnynt.

'Drychwch,' meddai Bili Bach yn gyffrous a'i ddau lygad yn gwibio fel soseri-hedfan. Cewciodd i edrych a oedd Mr Jones yn gweld yr hyn a welai ef.

'Weli di nhw?' meddai Leisa wrth Sara. Safodd Sara'n stond hyd at ei phigyrnau yn y dŵr bas, heb weld y don yn anelu at ei phengliniau.

'Yffach, dere o'r dŵr, cyn iti wlychu dy fogel,' gwaeddodd Leisa rai eiliadau cyn i'r môr fedyddio eu morddwydydd, a mawr oedd yr hwyl.

Edrychodd Mr Jones yn syn wrth weld Neli Ann yn gafael ym mraich Tomos wrth gyd-gerdded ag ef. Gwthiodd Dan Bach Tŷ Capel ei benelin i ystlys Jona er mwyn tynnu sylw heb i Mr Jones ei weld. Ond yr oedd Mr Jones wedi cau ei lygaid i offrymu gweddi ddirgel am i'r Arglwydd ddiogelu Tomos rhag y demtasiwn a loriodd Adda yn Eden gynt.

Draw rhwng y twyni tywod yr oedd Ianto'r Hewl yn goglais Hanna Jên nes bod honno'n gwichial a sgrechian cyn iddi ddianc o'i grafangau i brynu hufen iâ yn y siop ar ganol y stryd. Gallai ymffrostio'n ddiweddarach iddi fwyta 'pedwar cornet mowr o eis-crîm heb iste lawr'.

Daeth Leisa a Sara allan o'r cefnfor yn ddifrycheulyd eu traed fel y gallent gerdded yn droednoeth o'r gegin i'r parlwr yn ddigywilydd, hyd yn oed pe deuai'r postman i'r tŷ heb guro ar y drws.

'Dyna ni'n reit am flwyddyn os na ddaw infiteshon i briodas,' meddai Sara wrth osgoi'r cerrig mân.

'Dillad llygod, falle cewn ni briodas. Edrych ar y ddou 'co yn breichio'i gilydd.'

Y ddou 'co oedd Tomos a Neli Ann yn dal i fynd i gyfeiriad Ynyslas.

Aeth y ddwy i gadw cwmni i Marged a eisteddai fel gweddw unig yn yr awel ddrafftog.

'Dere lawr fan hyn i'r cysgod,' meddai Leisa ryw ddegllath oddi wrthi. Ufuddhaodd Marged yn ffwdanus ac eisteddodd rhwng y ddwy yn wyneb haul.

Llefarodd Leisa. 'Ma' Tomos yn cerdded yn ystwyth iawn y dyddie hyn, o 'styried 'i oedran e.'

'Odi. Ro'dd Neli Ann am fynd am dro. Fe fuodd hi'n dda iawn i Tomos Ni yn y Confalescent, ac ar ddiwrnod trip Awelfor fe a'th ag e i'r Chow Mein ac fe dalodd drosti hi a Tomos.'

'Fytodd Tomos e?' holodd Sara.

'Do, bob llwchyn. A ro'dd e wedi joio.'

'Weli di hi'n hongian wrth 'i fraich e?' meddai Leisa wrth Marged.

Gwenodd Marged heb arlliw o genfigen i egluro'r sefyllfa.

'Ma' sodle uchel dan 'i thra'd hi, a ma'n anodd iawn iddi gerdded ar y tywod a'r cerrig mân. Dyna pam ma' hi'n hongian wrth fraich Tomos Ni. Pe bait ti Leisa'n gwisgo sodle uchel, fe fyddet tithe'n ddiolchgar i ga'l braich rhywun i hongian wrthi.'

Penderfynodd Leisa ymosod o ddifri.

'Wyt ti ddim yn meddwl, Marged, y dyle Tomos a'r fenyw 'co fynd o'r golwg yn lle waco yng ngolwg pawb?'

Ond yr oedd ateb gonest gan Marged.

'Pe bydde rhyw ddrwg yn y caws fe fydden nhw'n cwato o olwg pawb. Dyna pryd y byddwn i'n gofidio. Ma' Tomos Ni yn ddiniwed iawn. Fe ddylwn i o pawb 'i 'nabod e.'

Nid oedd Sara'n derbyn ymresymiad Marged.

'Cofia di fod Neli Ann wedi colli Benja 'i gŵr

yn ddiweddar, a ma' hi'n tynnu Tomos miwn i lanw'r gwacter.'

Daeth gwên i wyneb Marged.

'Drychwch. Ma' nhw'n dod 'nôl. Dim ond i chi aros fe gewch chi gyfle i holi'r ddau. Rwy'n siŵr y bydd Mrs Ifans yn barod i ateb pob cwestiwn.'

Diflannodd Leisa a Sara fel pe bai'r ddaear wedi eu llyncu. Un peth oedd anghytuno o gwmpas Nant Gors Ddu, ond byddai'n anfaddeuol i gweryla ar draeth y Borth a chynifer o gydnabod yn gwrando.

Carlamodd Hanna Jên heibio, yn goesau a breichiau yn chwalu'r awyr, a Ianto'r Hewl yn chwys drabŵd wrth geisio ei dal. Yr oedd yr helfa garwriaethol yn arddangosfa ddi-dâl i'r sawl a'i gwelai.

Dychwelodd Tomos a Neli Ann at Marged wedi blino'n llwyr. Ni chawsai hi y fath ddiwrnod ers pan oedd yn weddw, ac i Tomos yr oedd y diolch.

'Pam Tomos?' holodd Marged yn sgilgar.

'Am 'i fod e bob amser mor garedig. Ma' fe wedi bod yn help mawr i fi ar ôl colli Benja. Ond dyna fe, cwpaned bach o de nawr, a heno ar y ffordd 'nôl rwy' am fynd â chi i swper yn Aberystwyth.'

'Ma' Tomos Ni wedi sôn am y Chow Mein pan fuoch chi ag e gyda trip Awelfor.'

Gwenodd Neli Ann.

'Chow Mein! 'Na fe, gawn ni gig ffowlyn, a reis, a pineapple heno. Fe enjoiwn ni'n tri.'

Pan aethant i'r caffe yr oedd y lle yn llawn, a Leisa a Sara yn dal i ddisgwyl am de. Edrychodd y ddwy'n syn ar Tomos a Neli Ann a Marged. Yr oedd un gadair wag wrth eu bwrdd, a chododd y ddwy i wneud lle i dri.

'Na, na, fe allwn ni aros am le,' meddai Neli Ann.

Aeth Marged ymlaen at Leisa. 'Ble ma'r tŷ bach yma?'

'Dere gyda fi. Ma' Sara a fi yn mynd 'nôl i lan y môr. Fe gewn tships yn Aberystwyth heno ar y ffordd adre . . .'

Gwelodd Marged ei chyfle i roi ergyd i Leisa cyn mynd i'r toiled.

'Ma' Tomos a fi a Mrs Ifans yn mynd i ga'l swper mowr – ffowlyn, a reis, a peinapl, a wedyn eis crîm a coffi. A ma' Mrs Ifans yn talu.'

Yr oedd cerydd yn llais Leisa.

'Shwd gellwch chi fyw ar gefen widw fach sy newydd golli'i gŵr?'

Gwthiodd Marged ei mynwes allan, a thynnu ei gwegil yn ôl dros ei gwar.

'Ma' Mrs Ifans yn ca'l milo'dd ar filo'dd o arian insiwrans ei gŵr.'

Aeth Leisa a Sara i chwilio am Hanna Jên i'w hysbysu am ffortiwn Neli Ann, a byddai'r stori honno o enau Hanna Jên megis yr had a heuwyd mewn tir da yn dwyn ffrwyth, peth ar ei ganfed, peth ar ei dri ugeinfed, a pheth ar ei ddegfed ar hugain.

Bu'n drip cofiadwy. Tomos yn rhodianna ar y traeth yng nghwmni Neli Ann, a Mr Jones y gweinidog yn esgor ar destun pregeth erbyn y Sul. Ie, testun da fyddai . . . 'a'r môr nid oedd mwyach'. Hanna Jên yn gwneud ei gorau glas i gadw Ianto'r Hewl o dan reolaeth. Hanna Jên eto fyth yn lledaenu'r stori fod Neli Ann wedi cael ffortiwn o arian insiwrans. A Neli Ann yn talu am swper mawr i Tomos a Marged. Ni chafodd Marged y fath swper erioed, meddai hi wrth Leisa a Sara. Nid rhyfedd fod dŵr yn llifo allan o ddannedd y ddwy pan oedd Hanna Jên yn disgrifio'r wledd. Ond fe dalodd Ianto am tships iddi hi, a thalodd Mr Jones y gweinidog am tships i Bili Bach, a lwc i Bili oedd y ffaith i chwarter potelaid o sos coch ddisgyn yn blastar ar y domen tships.

Pan ddaeth y dydd i Mr Peacock gyrchu Neli Ann o'r garafán yr oedd y niwl yn drwchus ar y bryniau, a thystiai Hanna Jên na fedrai hi weld ei llaw – ac ni welodd neb ymadawiad Neli Ann chwaith. Ond daeth llythyr oddi wrthi o Landudno ymhen deufis. Llwyddodd Wil Soffi i'w ddehongli cyn i Marged ei daflu i'r tân –

With all my love,
Nellie Ann Peacock.

Teitlau eraill yn y gyfres

Nid yw symud o'r wlad i'r dref i fyw heb ei drafferthion i Tomos a Marged, a phan ddaw eu hen gymdoges o'r mynydd ar y bws i'r dref – â cheiliog a dwy iâr mewn sach yn anrheg iddynt yn eu cartref newydd yn Llanamlwg – mae'n ddechrau gofidiau i Mabon Bach ac aelodau eraill y Cyngor Cymuned!